Ángeles:
de las tinieblas y de la luz

GARY KINNAMAN

BETANIA

Un Sello de Editorial Caribe

Betania es un sello de *Editorial Caribe*

© **1996 EDITORIAL CARIBE**
Una división de Thomas Nelson
P.O. Box 141000
Nashville, TN 37217, U.S.A.

Título del original en inglés:
Angels Dark and Light
© 1994 por *Gary Kinnaman*
Publicado por *Servant Publications*

ISBN: 0-88113-351-5

Traductora: *Leticia Guardiola*

Impreso en EE.UU.
Printed in U.S.A.

E-mail: caribe@editorialcaribe.com

2ª Impresión

Dedicatoria

꒰

A mi esposa
Marilyn
y a su mamá
Irene Rope
que se fue a morar con los ángeles
Julio de 1991

Otro libro de Gary Kinnaman

Y estas señales seguirán

Contenido

Prefacio

❧

Mi búsqueda por los ángeles me ha llevado por una travesía peculiar. He ido hasta lo más bajo del sótano (el piso bajo el sótano) en la Biblioteca del Seminario Teológico Fuller en Pasadena. He buscado a los ángeles más viejos en libros y revistas y a los más nuevos en la literatura computarizada en discos compactos. He buscado en bibliotecas públicas y en la enorme biblioteca de una universidad. He encuestado a cientos de personas: protestantes y católicas, tanto carismáticas como no carismáticas. Y en mi afán por encontrar ángeles, fui a parar hasta un monasterio benedictino en un sitio en Oregón llamado, en efecto, *Monte Ángel*.

¿Y qué encontré? Que todavía no he visto a un ángel.

Pero he leído sobre mucha gente que los ha visto. Y también he conocido a varias de esas personas. Asimismo he descubierto que hay mucho más material escrito sobre los ángeles de lo que imaginaba, lo cual me llevó a preguntarme por qué quería escribir otro libro. Por ejemplo, el *Diccionario de Ángeles*, de Gustav Davidson, incluye una bibliografía de veinticuatro páginas sobre libros de ángeles.

Algunos libros y artículos de los que leí eran escépticos. Otros, absolutamente irritantes. Algunos negaban la existencia real de querubines o serafines, veían los ángeles como metáforas de la presencia de Dios. Aunque es cierto que otros resultaron iluminadores e incluso teológicamente profundos. Tomás de Aquino, quien escribió su *Suma Teológica* en el siglo trece, me fue casi imposible de comprender. Respecto a la filosofía angeleológica de Tomás de Aquino, un escritor dijo: «Es la pieza de especulación más brillante en la materia producida por un teólogo occidental».

También encontré, para mi desdicha, que hay muy pocos libros cristianos sobre ángeles de reciente publicación. Esto resultó particularmente inquietante cuando, en una muy corta visita a las librerías B. Dalton y Waldenbooks del centro comercial de la localidad, me encontré cinco libros de gran popularidad en venta sobre los ángeles y ninguno era cristiano. Y sí, por supuesto, cada una tenía el libro de Billy Graham sobre los ángeles, que tiene ya casi cerca de veinte años y del cual se han vendido dos millones de ejemplares.

Así es que he hecho un recorrido completo. En este libro exploro todo un rango sobre asuntos de ángeles a la vez que procuro mantener mi compromiso con la Biblia como nuestra única medida de verdad. Esto es de especial importancia cuando nos referimos a los encuentros angélicos específicos. He reunido un archivo completo sobre historias de ángeles, algunas han sido sorprendentemente maravillosas y otras terriblemente grotescas. He incluido sólo las que entran en el esquema de la angeleología bíblica. Quizás también les interese saber que sólo he incluido historias de primera mano. Como imaginarán, hay demasiadas historias de ángeles por ahí que se han contado cuatro o cinco veces y, por lo tanto, adornadas con generosidad. En cada ejemplo, he tratado de seleccionar las historias relatadas por la persona o personas que en realidad tuvieron la experiencia. También traté de usar historias de personas con credibilidad, las que no han hecho un hábito de ver ángeles. Muy pocas personas han tenido una experiencia real con ángeles y las que han visto las luces del cielo, sólo las vieron una o dos veces en toda su vida. Esa clase de historias fueron para mí las de mayor interés.

Quisiera además reconocer la ayuda de muchas personas, sin ellas este libro no se habría escrito. El apoyo de mi familia es lo primero de mi lista. He escrito varios libros, pero es sorprendente lo rápido que uno olvida todo el tiempo que consume un proyecto de esta naturaleza y lo agotador que resulta.

Agradezco a la junta de nuestra iglesia y al personal asistente el tiempo y la libertad que me concedieron para hacer este trabajo. Gracias a Rick Linamen, uno de los pastores asociados de la Scottsdale Bible Church, por distribuir mis encuestas sobre los ángeles en un par de sus clases de adultos. Gracias a Doug y Susan Monet, unos vecinos cristianos maravillosos, quienes me ayudaron a circular mis encuestas sobre ángeles en sus círculos de amistades católicas. Gracias a mi secretaria, Penny Jo Budd, por todas las pequeñas cosas que hizo para ayudarme durante el último año. Gracias al doctor Bill Yarger y a la administración del Western Seminary, Phoenix, quienes me permitieron trabajar en este libro en mi programa de doctorado en ministerios; y a los doctores Kem Oberholtzer y Norm Wakefield por su cuidadosa revisión teológica del manuscrito. Gracias a Beth Feia y a Heidi Hess de Servant Books por su excelente ayuda editorial. Y muchas, muchas gracias a todos los que me relataron sus experiencias con ángeles.

Sólo desearía haber podido incluirlas todas.

CAPÍTULO UNO

VIDRIO OPACO: EL ENIGMA DE LA REALIDAD

Los ángeles pertenecen a una dimensión única y diferente de la creación la cual nosotros, seres limitados al orden natural, difícilmente podemos comprender.
Billy Graham

¿Eso fue un ángel? ¿Qué ocurrió? ¿Sucedió *algo*? Muchas experiencias espirituales son intangibles. Ahora las ve, después quién sabe si pueda verlas.

Y a veces ni siquiera son experiencias espirituales.

Hace algunos años, después del

servicio vespertino del domingo, una anciana se acercó para hablar conmigo. Se veía algo preocupada.

—Unos objetos brillantes, como estrellas —me informó de la manera más baja que pudo—, andan flotando a través de la ventana de mi baño. ¿Considera que esté viendo visiones? ¿Serán ángeles? ¿Cree que esto tenga algún significado espiritual?

Sus preguntas me parecieron un poco extrañas. *Ella* misma parecía un tanto extraña. Pero siempre tengo cuidado de no menospreciar las experiencias espirituales de otras personas. Sabiendo que la Biblia misma está llena de historias fuera de lo común respecto a dimensiones del cielo que interceptan la tierra, la mayoría albergamos genuinamente la esperanza de tener un encuentro real con Dios y sus ángeles. Sin embargo, en este caso de la mujer anciana, presentía que no se trataba de uno de estos encuentros.

—¿Tiene usted vidrio opaco en las ventanas de su baño? —le pregunté de manera cautelosa y cortés.

—Sí, por qué... creo que sí tengo —me respondió con timidez.

—Verifíquelo —le dije—. Si tiene ese tipo de vidrio en su baño, lo que ha estado viendo podría ser la luz que reflejan los carros al pasar por la calle. A lo mejor me equivoco, pero no creo que esto que ha visto sea algo fuera de lo común.

Las experiencias espirituales son misteriosas. A menudo algo que pareciera sobrenatural o paranormal puede explicarse fácilmente. O si algo inusual ocurre, el momento puede ser tan pasajero que no podamos recordar con exactitud lo sucedido. A veces, sin embargo, la realidad del ámbito espiritual irrumpe a través de las barreras del tiempo y el espacio.

El servicio terminó. Y apenas al abrir mis ojos después de la oración de clausura noté a una joven madre que se encaminaba apresurada por el pasillo de la iglesia. No podía ocultar su emoción. Su hijo de doce años, me anunció, acababa de ver a dos ángeles (*conmigo*) en la plataforma.

—¿Le puedo hacer una preguntas a Matt? —inquirí. Su hijo estaba inmóvil en la parte trasera del templo, viendo un poco avergonzado el entusiasmo de su madre.

Conocía a esa familia bastante bien. Este jovencito era sensible y no extremadamente religioso.

—Eran dos de ellos —me informó con un balbuceo de emoción.

—¿Estaban parados o sentados? ¿Dónde estaban exactamente? —le pregunté, pues quería saber los detalles. Quizás sólo estaba inventando todo esto.

—Los ángeles estaban parados, uno a cada lado de usted.

—¿Eran grandes o pequeños? —le presioné un poco.

—Grandes.

—¿Cuán grandes?

—*Muy* grandes.

—¿Más grandes que yo?

—Ah sí, mucho más grandes que usted.

Su cara sincera y sus respuestas rápidas y precisas me indicaron que este jovencito verdaderamente había visto algo. Por un momento transitorio, Dios descorrió la cortina del tiempo y el espacio y le permitió ver seres celestiales de luz.

Una cosa bastante similar sucedió años más tarde. Hace un tiempo conté una de estas historias en uno de mis sermones. Una hermana miembro de nuestra iglesia, Tina Esman, me escribió poco después de este acontecimiento:

> Tan pronto como terminó de contar la historia del jovencito que vio ángeles cerca de usted en la plataforma, fue como si mis ojos se abrieran y vi dos ángeles, dos o tres veces más grandes que un ser humano, en túnicas blancas con cabello blanco, sentados uno a cada lado de usted.
>
> Creo que el Señor me reveló que estaban allí para proteger las palabras de Dios que hablaría a su pueblo. Fue como si la gloria de Dios o una nube dorada descendiera desde los cielos en medio de los ángeles pasando a través de usted hasta la congregación.
>
> Al principio quise decírselo, pero luego me contuve. Pensé que creería que yo era algo extraña, pero tan cierto como que todavía puedo verlos ahora en mi mente, sé que Dios está aún

protegiendo su Palabra a través de usted, a pesar de que nunca más los he vuelto a ver.

¿Existen los ángeles? Sin dudas. ¿«Prueban» estos incidentes la existencia de ángeles? No. De la misma manera que no prueban ni sugieren que yo sea alguien especial porque otras personas hayan visto ángeles acompañándome cuando predico. Desafortunadamente, o quizás por fortuna, jamás los he visto. Sin embargo, ¿podríamos decir que historias como estas afirman lo que sabemos de la Biblia acerca de la realidad espiritual? Sí.

🕊️ 🕊️ 🕊️

Oh palabra invisible, nosotros te contemplamos
Oh palabra intangible, nosotros te palpamos
Oh palabra insondable, nosotros te conocemos
Imperceptible, nosotros te poseemos.
Francis Thompson

🕊️ 🕊️ 🕊️

Dietrich Bonhoeffer, uno de los más grandes pensadores cristianos de este siglo, una vez escribió sobre milagros y hechos providenciales: «Los creyentes ven una señal. Los incrédulos no ven nada». El apóstol Pablo vio a Cristo cara a cara, sin embargo: «Los hombres que iban con Saúl se pararon atónitos, oyendo a la verdad la voz, *mas sin ver a nadie*» (Hechos 9.7). Un hombre, que vio la luz, cambio el curso de la historia. Otros sólo se pararon parpadeantes y confusos.

Lo que para alguien es un hecho auténtico que puede cambiar su vida, para otro es una evidencia de inestabilidad mental. Cuando Pablo se defendía después de su arresto y contaba su impresionante experiencia de conversión, Festo, el gobernador romano de Judea, lo interrumpió con un grito: «Estás loco, Pablo; las muchas letras te vuelven loco» (Hechos 26.24).

Las experiencias espirituales son intangibles. Pablo lo dice de la siguiente manera: «Ahora vemos por espejo, oscuramente; mas entonces veremos cara a cara» (1 Corintios 13.12). Escribir acerca de los ángeles es como ver a través de un vidrio opaco:

Sabemos que hay algo del otro lado, pero no siempre estamos seguros de qué se trata. Nuestra humanidad tiene limitaciones. No podemos ver las cosas del mundo espiritual cada vez que lo deseemos, ni ver tan siquiera uno de sus millones de seres espirituales a nuestro antojo. Tampoco podemos ver los campos magnéticos, ni la electricidad ni el sol en un día nublado. La realidad no se basa únicamente en lo que podemos o no ver, o en lo que podemos o no entender.

El autor cristiano Frederick Buechner escribe:

La magia que opera en base a la habilidad de manos se fundamenta en el hecho demostrable de que, como regla general, la gente ve únicamente lo que espera ver. Los ángeles son espíritus poderosos a quienes Dios envía al mundo para desearnos bienestar. Y puesto que no esperamos verlos, no los vemos. Un ángel extiende sus brillantes alas sobre nosotros, y decimos cosas tales como: «Fue uno de esos días que te hacen sentir bien por el simple hecho de estar con vida», o «Tengo la corazonada de que todo me va a salir bien».[1]

El dominio espiritual es tan enigmático que algunas personas, aun las que creen en Dios, se han preguntado si de verdad los ángeles existen. Algunos teólogos creen, por ejemplo, que los ángeles pueden entenderse mejor si los consideramos como metáforas de la presencia de Dios y que en realidad no son ángeles en un estado perpetuo de existencia celestial. En lugar de eso, los ángeles van y vienen como los sueños, pedacitos holográficos de la voluntad de Dios. Que, al Dios crearlos por uno o dos segundos, llevan mensajes y después se esfuman para siempre.

Sin embargo, esto no es lo que encontramos en la Biblia. Las Escrituras siempre dicen que los ángeles son seres espirituales reales con existencia individual, como examinaremos en detalles a través de este libro. C. Fred Dickason observa que nunca, aun en los primeros escritos de la Biblia, «los ángeles se consideraron

---

1 Frederick Buechner, *Wishful Thinking: A Theological ABC* [¡Ojalá y así fuera!: Un ABC teológico], Harper & Row, New York, 1973, pp. 1-2.

simples ilusiones o figuras de estilo. Los ángeles son una parte integral de la historia de Dios en su trato con los seres humanos».[2]

A pesar de todo, abunda mucho la especulación filosófica acerca de la existencia y la naturaleza de los ángeles. Y esto es natural, supongo, porque los seres humanos somos inquisitivos hasta lo más profundo de nuestro ser, especialmente cuando se trata de asuntos misteriosos y sin total explicación. Un libro sobre ángeles no estaría completo sin mencionar *La jerarquía celestial*, escrita por Dionisio, algunas veces llamado San Denis. Dionisio, una figura poco conocida de la historia de los inicios de la Iglesia, se dedicó a examinar y clasificar ángeles con minucioso detalle. Comenzando con la Biblia, Dionisio agregó un buen pedazo de superstición medieval acerca del mundo de los espíritus. Lo que resultó fue una elaborada pero imaginativa jerarquía de seres espirituales que en esencia forjaron la visión cristiana sobre los ángeles durante muchos siglos.

Los escritos de Dionisio influyeron grandemente en Tomás de Aquino, por lo general conocido como «el padre de la teología católica romana» y a veces también llamado «el ángel doctor». Este dedicó una gran parte de su obra clásica *Suma Teológica* (que significa, vagamente, todo lo que siempre has querido saber de teología) a escudriñar y refinar la visión de Dionisio, incluyendo aspectos tales como «la predicación, multiplicación y la individualidad de la naturaleza de los ángeles».

Hubo algunos teólogos a quienes no lograron impresionar los escritos de estos hombres. Karl Barth llamó a los escritos de Dionisio «irritantes» y, en respuesta a los complicados escritos de Tomás de Aquino sobre los ángeles, declaró: «Las Sagradas Escrituras nos dan suficiente información para pensar respecto a los ángeles».[3]

En otras palabras, por lo que la Biblia revela, hay algunas cuestiones acerca de los ángeles que podemos saber con certeza,

2 C. Fred Dickason, *Angels: Elect and Evil* [Ángeles: elegidos y perversos], Moody Press, Chicago, 1975, pp. 18-19.

3 Karl Barth, *Church Dogmatics: The Doctrine of Creation* [Dogmática de la Iglesia: La doctrina de la creación], vol. 3, parte 3, T. & T. Clark, Edimburgo, 1961, p. 410.

pero hay otras con las cuales sólo podemos especular. Lo mejor que puede suceder con las nebulosas acerca de los ángeles es que resulten interesantes y de ayuda, y lo peor es que nos guíen a equivocaciones. Si vamos a entender a los ángeles de las tinieblas y de la luz, necesitamos identificar lo verdadero y lo falso, lo seguro y lo peligroso. *Lo que los cristianos creen acerca de los ángeles, o cualquier otra cosa sobre la materia, debe ser firmemente fundamentado en la Biblia.* Pablo advierte a la iglesia de Colosas:

> Nadie os prive de vuestro premio, afectando humildad y culto a los ángeles, entremetiéndose en lo que no ha visto, vanamente hinchado por su propia mente carnal.
>
> **Colosenses 2.18**

Pablo nos dice aquí que, si no somos cuidadosos, la verdad tal como se nos revela en la Biblia puede ser confusa si le prestamos demasiada atención a las cosas vanas. De manera que a través de este libro analizaremos, a la luz de las Sagradas Escrituras, todo respecto a los ángeles, y lo que diferentes personas dicen y creen acerca de ellos. Algunas cosas son claras. Muchas otras no los son.

Dios creó a los ángeles para servirle y para que sirvan a su pueblo. Si hay algo que podemos aprender de la Biblia acerca de ellos, es que son *reales*. Los ángeles existen. Y a pesar de todo, hay teólogos que se han cuestionado al respecto (aunque, como tal vez usted sabe, los teólogos se cuestionan respecto a muchas cosas). Como los ángeles van y vienen como una nube de humo en un día de viento, hay quienes han especulado que ellos en realidad no tienen una «naturaleza» ni una existencia independiente. Algunos teólogos creen que los ángeles existen momentáneamente, sólo para dar algún mensaje. O para decirlo de otro modo, el ángel *es* el mensaje. Una vez que el mensaje se ha dicho, el ángel desaparece para siempre o hasta que Dios lo vuelva a «crear» para enviar otro mensaje. Los ángeles, de acuerdo a esta perspectiva, no existen en «realidad».

Un escritor ha hecho notar lo siguiente: «Con frecuencia se ha hecho ver que los ángeles no tienen biografías. Que no tienen una extensión narrativa horizontal, histórica. No son[...] progresivos. Irrumpen fragmentando el tiempo y la secuencia, y luego, como lo dice la historia en Lucas, desaparecen sin dejar rastro alguno, dejando solamente una canción o una imagen».[4] Esta idea la encuentro difícil de aceptar, porque la Biblia enseña que los ángeles existen en la presencia de Dios, aunque no estén ocupados trayendo mensajes a la tierra.

El gran reformador Juan Calvino rechazó severamente «esa filosofía trivial concerniente a los santos ángeles que enseña que ellos no son nada más que inspiraciones o buenas motivaciones de Dios puestas en la mente de los seres humanos».[5]

No obstante, la Biblia guarda silencio respecto a «la "naturaleza" de los ángeles, si son o no personas, o de cuál es su relación con respecto al mundo físico».[6] Todo lo que sabemos es que son seres espirituales invisibles que ministran a Dios y a su pueblo.

Descartando la idea del matrimonio en el cielo, lo más cercano que Jesús dijo respecto a «la naturaleza» de los ángeles fue cuando explicó: «Mas los que fueren tenidos por dignos de alcanzar aquel siglo y la resurrección de entre los muertos, ni se casan, ni se dan en casamiento. Porque no pueden ya más morir, *pues son iguales a los ángeles*».[7] Esto sólo nos dice que la «naturaleza» de los ángeles es inmortal, nada más. E implica que los ángeles tienen una existencia separada, que continúa.

Los ángeles, entonces, son reales. Son seres espirituales, semejantes a Dios, pero no son Dios. Tampoco son humanos, ni de carne y hueso, si bien es posible que aparezcan en forma humana. La «sustancia» precisa de su naturaleza se desconoce. Son inmortales. No son *omnipresentes*: presentes en todas partes al mismo tiempo, como Dios, pero sí son *inmediatamente* presentes. En Mateo 4.11 se nos dice que los ángeles «vinieron» y ser-

---

4   David Miller, «Angels, Ghost, and Dreams: The Dreams of Religion and the Religion of Dreams» [Ángeles, fantasmas y sueños: Los sueños de la religión y la religión de sueños], *The Journal of Pastoral Counseling*, 26, 1, 1991, p. 21.

5   Según lo cita Mortimer F. Adler, *The Angels and Us* [Los ángeles y nosotros], Macmillan, New York, 1982, p. 26.

6   Barth, pp. 410-11.

7   Lucas 20.35-36, cursivas añadidas. Este versículo contiene la única mención en el Nuevo Testamento del término griego *isangelos*, «como un ángel».

vían a Jesús después de la tentación en el desierto, sugiriendo así que estos no estaban presentes cuando unos minutos antes el diablo apareció. Dios estaba ahí, en la encarnación del Hijo, pero los ángeles no. Los ángeles no están en todas partes.

SI EL CIELO ESTÁ TAN CERCA, ¿POR QUÉ DIOS PARECE TAN DISTANTE?

Vemos el cielo a través del vidrio opaco. Esto quizás sea la más terrible y frustrante consecuencia del pecado humano. Cuando Dios creó al principio a Adán y a Eva, el compañerismo inmediato y la conversación directa con el cielo era algo «normal». No había barreras. Pero la serpiente que «era astuta, más que todos los animales del campo que Jehová Dios había hecho», desafió a la mujer... y a Dios: «¡Mentira! —silbó la serpiente—. *¡No morirán!* Dios sabe muy bien que en el momento que lo coman se les abrirán los ojos para distinguir entre el bien y el mal».[8]

Se les abrirán los ojos. ¿Qué ojos? ¿Qué verán? Pareciera como si el diablo le estuviera haciendo una oferta para hacerse más perceptiva *espiritualmente*, como Dios. Es irónico, pero Adán y Eva no obtuvieron lo que veían, ni vieron lo que iban a obtener. Esa es siempre la naturaleza de la ilusión: la carnada de la verdad siempre esconde el anzuelo de la decepción. Así como el diablo predijo: «fueron abiertos los ojos de ambos».

Pero no se volvieron más semejantes a Dios. Al contrario, por primera vez «conocieron que estaban desnudos». El foco de la percepción humana retrocedió de la primacía de la dimensión espiritual al de las limitaciones del tiempo y el espacio de la creación física. El mundo material entró en acción. La dimensión espiritual se esfumó en una niebla espesa. En esencia, la naturaleza humana dio un vuelco total.

Ahora vemos los cielos, y a los ángeles, a través de un vidrio opaco. McCandlish Phillips, antiguo reportero del *New York Ti-*

---

8 Génesis 3.4, *La Biblia al día*, cursivas añadidas. El relato completo se encuentra en Génesis 3.1-7.

mes, hizo la observación de que los «hombres pueden saber sólo lo que Dios determina revelarles sobre lo espiritual y lo sobrenatural[...]. No podemos saber nada de los ángeles[...] sino por revelación».[9] «Rumores de ángeles» es como un autor recientemente ha descrito a los seres difusos del mundo espiritual.[10]

Es como si nuestros ojos espirituales necesitaran una cirugía de cataratas, mientras que la capa lechosa siguiera engrosándose. En lo que va de las dos últimas generaciones, nuestra cultura occidental ha desdeñado las experiencias espirituales. Para aquellos de nosotros que crecimos bajo la influencia del materialismo científico, el vidrio opaco se ha tornado negro. Cada misterio se evapora en el matraz de ácido de la duda científica. Aunque creemos en Dios teóricamente, en la práctica el ámbito espiritual no es real para nosotros. Incluso nuestro lenguaje, un componente vital de nuestra cultura, traiciona nuestro escepticismo acerca de las «cosas espirituales». Los términos «sobrenatural» y «paranormal» son, en realidad, creaciones occidentales. Estas expresiones sugieren que hemos creado una distinción artificial entre lo «natural» y lo «sobrenatural», lo «normal» y lo «paranormal».

Quizás resulte sorprendente que la palabra «sobrenatural» no tiene equivalente ni en el hebreo del Antiguo Testamento ni en el griego del Nuevo Testamento. Para los escritores de la Biblia, aun y cuando también vieron a través de un oscuro opaco, las barreras entre tiempo y eternidad no fue tan específicamente definida. Tampoco está muy bien definida en las culturas no occidentales. En la India, por ejemplo, no hay equivalente de la palabra «paranormal» o «sobrenatural» en ninguna de sus catorce lenguas principales.[11]

Esa borrosa barrera entre tiempo y eternidad fue precisamente el tema de la muy aclamada película, *Field of Dreams* [Campo de sueños]. En esta película, una sonora voz como si fuera Dios guía al actor estrella, Kevin Costner, a construir un diamante de

---

9 Según lo cita Billy Graham, *Los ángeles: agentes secretos de Dios*, Editorial Caribe, Miami, FL, 1976, p. 29.
10 Timothy Jones, «Rumors of Angels» [Rumores de ángeles], *Christianity Today*, 37, 4, 1993, pp. 18-22.
11 Según me dijo Paul Pillai, graduado del Seminario Teológico Talbot y prominente líder cristiano del norte de la India.

béisbol a mitad de un maizal en Iowa. Varios grandes jugadores del béisbol, todos muertos, comienzan a materializarse a partir de las crecidas filas de maíz al margen del campo de juego.

Uno de los jugadores, literalmente un fantasma del pasado, le pregunta a Kevin Costner con incredulidad: «¿Es aquí el cielo?»

La respuesta de Costner se inmortalizó: «No», le dice con la misma incredulidad, «¡esto es Iowa!»

Las barreras entre el cielo y la tierra se han esfumado. La película, por supuesto, no es cristiana. Su base central es la filosofía del movimiento de la Nueva Era[12], pero los seguidores de la Nueva Era nos quieren decir que podemos redescubrir, si lo intentamos, la realidad de la dimensión espiritual. Está se encuentra más allá de la próxima hilera de maíz.

Esto es, por cierto, muy cercano a la visión del mundo que encontramos en la Biblia, no es que podamos conversar con los muertos, sino que «el reino de los cielos se ha *acercado*». El cielo está tan cercano como nuestro aliento. Los ángeles están tan cercanos como si estuvieran al otro lado de la habitación... y algunas veces aún más.

---

12 «Nueva Era» es un término que usado y aplicado a un extenso número de religiones interrelacionadas y creencias casi religiosas, no cristianas, que han tomado un gran auge popular.
La erudita cristiana Mary Ann Lind escribe: «El término Nueva Era es una referencia a un tiempo particular en el futuro cercano cuando la humanidad presumiblemente entrará en una era de iluminación espiritual caracterizada por la realización colectiva de la "conciencia de dios" dentro de cada persona. La liberación universal de dicho poder espiritual guiará entonces hacia la "nueva era" (*From Nirvana to the New Age* [De Nirvana a la Nueva Era], Revell, Tarrytown, NY, 1991, p. 18). De acuerdo a Lind, al Movimiento de la Nueva Era se le ha denominado también como el Movimiento del Potencial Humano, La Conspiración Acuariana, La Era de Acuario, La Tercera Fuerza y la Nueva Espiritualidad. Doug Groothuis, quizás la máxima autoridad en Nueva Era, identifica seis elementos clave del movimiento: (1) Todo es uno o monismo. Todo (Dios, los humanos y otras formas de vida, cosas materiales y no materiales) en el universo es parte de un gran todo. El karma del hinduismo y «La fuerza» de la película *La guerra de las galaxias* son expresiones de esta idea. (2) Todo es Dios. Dios está en todo y Dios es todo. Esto es panteísmo, donde todas las cosas, se dice, parten de una esencia divina. (3) La humanidad es Dios. Nosotros no sólo somos perfectos; somos dioses. (4) Un cambio en la conciencia. Groothuis escribe: «Todo es uno; todo es dios; nosotros somos dios. Simple y sencillamente». Si es así, ¿cómo no sabemos esto? Necesitamos ser iluminados. Necesitamos ser guiados a una conciencia de la unidad y del poder espiritual. Esto, en parte, es precisamente lo que nos dicen diciendo los ángeles de la Nueva Era. (5) Todas las religiones son una. Esto es, en una palabra, sincretismo. (6) Optimismo cósmico evolucionario. Una nueva era va a surgir, «emergiendo de las cenizas de la visión del mundo occidental». (Véase *Unmasking the New Age* [Desenmascarando a la Nueva Era], Intervarsity, Downers Grove, IL, 1986, pp. 18-31.)

CUATRO CLASES DE ENCUENTROS CERCANOS

La falsa imagen del cielo está al otro lado del vidrio opaco. ¡Sabemos que algo hay allí! ¿Qué vemos? ¿Y cómo lo vemos? He llegado a creer, para usar la terminología de los OVNI, que hay cuatro clases de «encuentros cercanos» sobrenaturales.

Primero, a veces Dios pone pensamientos en nuestras cabezas. Este tipo de encuentro espiritual más común no es abiertamente sobrenatural, pero la Biblia contiene muchos ejemplos. En una ocasión, cuando Jesús estaba solo con sus discípulos, les preguntó qué era lo que la gente estaba decía de Él:

—¿Quién dice la gente que soy?

—Bueno —le respondieron—, algunos dicen que eres Juan el Bautista; otros, que eres Elías; y otros, que eres Jeremías o alguno de los profetas.

—¿Y quién creen ustedes que soy?

—¡Tú eres el Cristo, el Mesías, el Hijo del Dios viviente! —respondió Simón Pedro.

—Dios te ha bendecido, Simón, hijo de Jonás —le dijo Jesús—, porque esto no lo aprendiste de labios humanos. ¡Mi Padre celestial te lo reveló personalmente![13]

Jesús le explicó, dejando bien en claro que los pensamientos de Pedro, por cierto, no eran de él. Vino del cielo. El Padre celestial puso ese pensamiento en la mente de Pedro.

Ahora bien, Dios no controla nuestros pensamientos, pero sí nos habla de vez en cuando. Y aunque esta clase de iluminaciones espirituales no se convierten en grandes titulares, que no son muy sensacionales, podríamos llamar a este *un encuentro cercano a lo sobrenatural del primer tipo.*

Segundo, el cielo puede venir hacia nosotros en imágenes mentales y sueños. «Vemos» como escenas dentro de nuestra cabeza, similar a una especie de pantalla de televisión mental. Los sueños, por supuesto, han sido siempre un tema de estudio y fas-

---

13 Mateo 16.13-17, *La Biblia al día.*

cinación desde los tiempos antiguos de los relatos bíblicos hasta la investigación científica contemporánea. Algunos dicen que los sueños son puramente fisiológicos, impresiones inducidas de manera química. Otros abogan que algunas veces los sueños son ventanas del cielo, una clara enseñanza de la Biblia. Mientras que la mayoría de los sueños son una función normal de un cerebro en reposo y casi todos los sueños no tienen significado espiritual, en la Biblia Dios usa sueños de vez en cuando para hablar a su pueblo. Las referencias a los sueños aparecen cerca de cien veces en las Escrituras y a veces hay ángeles en esos sueños.[14]

Jacob tuvo un famoso sueño con un ángel. Cuando huía de su vengativo hermano Esaú, Jacob dejó Beerseba y se fue a establecer en Harán. «Y llegó a un cierto lugar, y durmió allí, porque ya el sol se había puesto; y tomó de las piedras de aquel paraje y puso a su cabecera, y se acostó en aquel lugar. *Y soñó*: y he aquí una escalera que estaba apoyada en tierra, y su extremo tocaba en el cielo; *y he aquí ángeles de Dios que subían y descendían por ella*» (Génesis 28.11-12, cursivas añadidas).

José, después de la visita de los magos, un ángel le advirtió en sueños: «Levántate y toma al niño y a su madre, y huye a Egipto, y permanece allá hasta que yo te diga; porque acontecerá que Herodes buscará al niño para matarlo» (Mateo 2.13).

Cuando un amigo mío, Mark Buckley, escuchó que estaba escribiendo acerca de los ángeles, me preguntó con cierta reserva si estaría interesado en una historia de cómo un ángel se le apareció en un sueño. «A cientos de personas le impactó mi sueño», me dijo. Mark es un pastor de éxito, por encima del promedio, en el área de Phoenix y un escritor regular de la revista *Ministry Today*.

En la primavera de 1971 vivía en Novato, California, con otros

---

14 «Los sueños se asocian a menudo con ángeles en las tradiciones judía y cristiana como si ellos en sí mismos fueran en un sentido "ángeles"[...] La conexión de ángel e imagen (sueño-imagen) es común en la antigüedad. Para Filón, en su obra *Sobre gigantes*, la imagen de Dios es el ángel o logos. Josefo llama a los ángeles *phantasma* («imágenes fantásticas»). En el antiguo siríaco la palabra *ekoni* significa imagen y ángel». Miller, pp. 18-28.

cinco hombres en una casa ministerial cristiana llamada Solid Rock. Una noche tuve un sueño que cambió el curso de mi vida y ministerio. En mi sueño veía un grupo de estudiantes jugando voleibol en el gimnasio de la secundaria Terra Linda. Hacía tres años que me había graduado en esa secundaria, de manera que recordaba bastante bien el gimnasio.

Mientras observaba el desarrollo del juego, una cara de un hombre apuesto apareció de repente en mi sueño. «Preséntate aquí mañana a las siete y media de la noche», me dijo. Luego la cara desapareció y el sueño terminó.

Cuando desperté a la mañana siguiente, recordaba el sueño vívidamente. Sentía como si el Señor me hubiera hablado. Puesto que la cara que vi no se parecía a la de Jesús, pensé que se trataría de un ángel. Cuando mi buen amigo Malcolm despertó, le conté mi sueño y le pedí que me acompañara a la secundaria Terra Linda esa noche. Malcolm no estaba del todo seguro que hubiera escuchado al Señor, pero estaba dispuesto a acompañarme y apoyarme.

Malcolm y yo llegamos a la secundaria a las siete y quince esa tarde. El recinto estaba desierto, excepto por la presencia de algunos estudiantes de teatro que ensayaban una obra. Intentamos entrar por la puerta exterior del gimnasio. Estaba con candado. Recorrimos todos los edificios de la escuela, llevando unos folletos sobre los Evangelios, sin resultado alguno. No sabía lo que el Señor tenía reservado para mí, pero suponía que era de esperar que le hablara del evangelio a alguien.

A las siete y media fuimos y nos paramos en la acera frente al gimnasio. Comencé a sentirme bastante tonto. Y Malcolm me lo recordaba. En son de burla me dijo: «Creo que esta vez lo perdiste».

Cuando estábamos a punto de irnos, un ómnibus escolar se acercó a la acera frente a nosotros. Uno a uno los miembros del equipo de béisbol de la secundaria se bajaron del ómnibus. Caminamos hacia ellos y comenzamos a darles los tratados a los muchachos, que no eran muy receptivos al evangelio. Venían de un largo viaje e iban a bañarse. Sólo un par de ellos se detuvo lo suficiente para escuchar mientras que intentábamos hablarles del evangelio.

Don Lucas, el entrenador, fue el último en salir del ómnibus. Don, quien fue mi entrenador durante dos años cuando jugaba fútbol y béisbol, mostró una amplia sonrisa cuando me reconoció. Nuestro gozo de vernos se multiplicó cuando me dijo que también él le entregó recientemente su vida a Cristo. Después de mencionarme que pensaba formar un grupo de atletas cristianos en su escuela, también se precipitó para unirse a los jugadores que estaban en los vestidores.

Cuando el chofer estacionó a un lado el ómnibus vacío lejos de la acera, Malcolm y yo decidimos retirarnos también. Tenía un sentimiento de vacío dentro de mí. Fue bueno ver a mi antiguo entrenador, pero no sucedió nada dramático. Y supuse que quizás había mal interpretado el sueño.

Dos semanas más tarde recibí una llamada de Don. «¿Te gustaría dar una conferencia en nuestra reunión de atletas cristianos?», me preguntó. Acepté con mucho entusiasmo. En esa reunión, una semana más tarde, conocí a otro entrenador cristiano que también era un maestro de enseñanza de salud en la secundaria. Supo que algunos años antes me habían hospitalizado debido a una sobredosis de drogas, y me invitó a que le hablara a sus alumnos acerca del peligro del abuso de drogas y lo que Jesús hizo para liberarme de la drogadicción.

El día que hablé en la escuela, conocí a otros maestros que también me pidieron que visitara sus aulas. Una puerta abierta llevó a abrir otras más. ¡A veces llegué a hablarle hasta a cinco grupos de estudiantes en un solo día!

Se me dio una libertad fuera de lo común para hablar de mi fe, junto con un mensaje antidrogas, en la escuela. A los pocos meses, los estudiantes formaron un receso de comida para estudiar la Biblia en una de las aulas. Me pidieron que fuera una vez a la semana y les enseñara. Durante los dos años siguientes, estuve con ellos cada semana.

Las recomendaciones de los maestros de la secundaria Terra Linda me abrió las puertas para hablar en las clases de educación de la salud, historia y ciencias en las secundarias de San Rafael,

Redwood, Drake y Tamalpias. Pronto tuvimos estudios bíblicos semanales en cuatro escuelas diferentes. El condado de Marin, al norte de San Francisco, siempre ha tenido un clima liberal, pero a inicios de la década del setenta los maestros y directores de las secundarias en Marin dieron la bienvenida al evangelio como un medio de ayudar a los estudiantes.

Todavía sigo en contacto con muchos de los estudiantes que confiaron en Cristo para vida eterna y fueron discipulados a través de aquellos estudios de la Biblia en las secundarias. Algunos se dedican por completo al ministerio cristiano. Cuando veo hacia atrás, cómo comenzó todo, todavía puedo ver en mi mente la cara del ángel que me guió y dijo: «Preséntate aquí mañana a las siete y media».

Marcos tuvo un *encuentro sobrenatural del segundo tipo.*

Tercero, el cielo puede venir a nosotros en visiones y éxtasis. Estas son menos comunes y más extraordinarias que los sueños y las imágenes mentales. Pienso en una visión como algo externo, algo visual que «vemos» *fuera* de nosotros, opuesto a los sueños e imágenes *dentro* de nuestra cabeza. La Biblia no hace esta distinción en cada caso, pero tenemos la impresión, por ciertos pasajes, de que lo que lo gente vio fue como «realidad virtual». No estaba allí en verdad, pero era lo suficientemente real, quizás tridimensional y a todo color. Una visión o un éxtasis es un *encuentro sobrenatural del tercer tipo.*

El apóstol Pedro, cuando visitaba a unos amigos en Jope, en la costa del Mediterráneo, subió a la azotea de la casa para tomar algo de brisa y orar. «Y tuvo gran hambre, y quiso comer; pero mientras le preparaban algo, le sobrevino un éxtasis». Sea por lo que sea, la Biblia no dice nada acerca de que Pedro se hubiera quedado dormido o estuviera soñando. Usa sólo una palabra, «éxtasis». El término usado en griego es *ekstasis*, del cual proviene la palabra en castellano «éxtasis».

Más allá de sí mismo, Pedro «vio el cielo abierto, y que descendía algo semejante a un gran lienzo, que atado de las cuatro puntas era bajado a la tierra; en el cual había de todos los cuadrúpedos terrestres y reptiles y aves del cielo». Comida inmunda, comida chatarra, como las salchichas y el tocino. «Y le vino una voz: Levántate, Pedro, mata y come[...] Esto se hizo tres veces; y aquel lienzo volvió a ser recogido en el cielo» (Hechos 10.9-16). La sábana, aparentemente, no estaba en la mente de Pedro. Vino del cielo y volvió al cielo.

Este relato, por supuesto, es acerca de cómo Dios quería que Pedro testificara del evangelio a los gentiles «impuros», algo que un buen judío como Pedro no estaba dispuesto a hacer. Pero lo que trato de resaltar es que lo que apareció aquí era una clase de imagen en tercera dimensión.

A lo mejor Juan tuvo una experiencia similar cuando, «en el Espíritu» en el Día del Señor, escribió el libro de Apocalipsis. Cuando leo el último libro de la Biblia, me da la impresión de que Juan vio y escuchó cosas *fuera* de su propia mente, como en éxtasis.

Mucho de lo que vio debe haber sido similar a la «realidad virtual»: el anticristo levantándose del mar, o «una bestia que tenía siete cabezas y diez cuernos; y en sus cuernos diez diademas» (Apocalipsis 13.1). Pero otras cosas que Juan vio, creo yo, estaban realmente allí: «Y miré, y oí la voz de muchos ángeles alrededor del trono[...] y su número era millones de millones, que decían a gran voz: El Cordero que fue inmolado es digno de tomar el poder» (Apocalipsis 5.11-12). Juan verdaderamente vio eso. Estaba allí en realidad.

Cuarta, en el más alto nivel de los encuentros espirituales, la realidad del cielo literalmente puede fraccionar el tiempo y el espacio. Jesús apareció, realmente, a Saulo (después llamado el apóstol Pablo) en el camino a Damasco. Mi tío se convirtió cuando Jesús se le apareció, de verdad, parado al pie de su cama. Igual que Pablo, mi tío no esperó ni un mes ni dos para pensar acerca de lo sucedido. Su visión de Cristo fue sobrecogedora y él se convirtió esa misma noche. Este fue un encuentro sobrenatural de la cuarta clase, típico de la mayoría de los ángeles que aparecen en la Biblia.

Los ángeles aparecen, en realidad, a mucha gente en la Biblia. Pueden verse y escucharse, y la gente habla con ellos como usted y yo conversamos con un amigo. A medida que he coleccionado informes de encuentros con ángeles y encuestado a cientos de personas, he descubierto que muy pocas personas han tenido un encuentro indudable, real y literal con un ángel. Y casi todos los que lo han tenido, han visto un ángel una sola vez. Los encuentros espirituales reales de la cuarta clase son escasos.

Es más, cuando ocurren, puede ser difícil y aun imposible que la persona logre describir la experiencia. Por ejemplo, el apóstol Pablo aparentemente tuvo una experiencia fuera del cuerpo, quizás cuando lo apedrearon en Listra (Hechos 14.19-20). Cuenta: «Conozco a un hombre [Pablo se refiere a sí mismo] en Cristo, que hace catorce años (si en el cuerpo, o fuera del cuerpo, no lo sé; Dios lo sabe), que fue arrebatado al paraíso, donde oyó *palabras inefables que no le es dado al hombre expresar*» (cursivas añadidas).[15]

🕊 🕊 🕊

Dios no es el único incomprensible; lo mismo puede también decirse del cielo en el mundo de las criaturas.
Karl Barth

🕊 🕊 🕊

El lenguaje humano simplemente no puede describir aquello que va por encima de la experiencia normal. Apoyándose en el lenguaje del símil y la metáfora, Ezequiel describe las cámaras privadas de su Majestad:

Y miré, y he aquí venía del norte un viento tempestuoso, y una gran nube, con un fuego envolvente, y alrededor de él un resplandor, y en medio del fuego algo que parecía *como* bronce refulgente, y en medio de ella la figura de cuatro seres vivientes. *Y esta era su apariencia*: había en ellos semejanza de hombre. Cada uno tenía cuatro caras y cuatro alas. Y los pies de ellos eran derechos, y la planta de sus pies *como* planta de pie de becerro; y centelleaban a manera de bronce muy bruñido[...] Se oía una voz de arriba de la expansión que había sobre sus cabezas. Y sobre la expansión que había sobre sus cabezas se veía la figura

---

15 Véase 2 Corintios 12.1-4.

de un trono que *parecía* de piedra de zafiro; y sobre la figura del trono había una *semejanza* que *parecía* de hombre sentado sobre él. Y vi *apariencia como* de bronce refulgente, *como apariencia* de fuego dentro de ella en derredor, desde el aspecto de sus lomos para arriba; y desde sus lomos para abajo, vi que *parecía como* fuego, y que tenía resplandor alrededor. *Como parece* el arco iris que está en las nubes el día que llueve, así era el parecer del resplandor alrededor. Esta fue la *visión* de la *semejanza* de la gloria de Jehová. **Ezequiel 1.4-7,25-28 (cursivas añadidas)**

Note especialmente la última línea. Ezequiel no vio al Señor. Ni siquiera vio su gloria. Es más, no vio ni la semejanza de la gloria del Señor. Ezequiel vio *la visión de la semejanza de la gloria de Jehová*. Este es otro ejemplo de la más elevada forma de experiencia espiritual. El cielo irrumpió en tiempo y espacio, y Ezequiel vio, literalmente, el trono de Dios. Fue como un pequeño tratando de describir un día de paseo en un centro de diversiones. Ezequiel no tenía una experiencia previa ni algún punto de referencia para describir lo que había visto.

En otra narración del Antiguo Testamento (2 Reyes 6.8-23), el rey de Siria, frustrado y furioso por la dirección profética de Eliseo para con el rey de Israel, hace los preparativos para secuestrar a su antiguo adversario judío. «Id, y mirad dónde está», ordenó el rey, «para que yo envíe a prenderlo». Y le informaron: «He aquí que él está en Dotán». Así es que el rey envió gente de a caballo, carros y un gran ejército, y sitiaron la ciudad en medio de la noche. A la mañana siguiente, cuando el sirviente de Eliseo se levantó y se dio cuenta que la ciudad de Dotán estaba sitiada, se atemorizó. «¡Ah, señor mío! ¿qué haremos?», dijo temblando.

«No tengas miedo», le respondió el profeta con confianza. «Más son los que están con nosotros que los que están con ellos». Y Eliseo oró: «Te ruego, oh Jehová, *que abras sus ojos para que vea*». Y Dios lo hizo y el joven criado vio, literalmente, dentro de la dimensión espiritual: los montes alrededor de la ciudad estaban llenos de caballos y carros de fuego enviados para proteger a Eliseo. No fue un sueño. No fue una imaginación. El ejército de fuego del Señor estaba realmente allí.

De manera que Dios puede revelársenos en diferentes formas y niveles, desde pensamientos sublimes hasta apariciones angélicas literales. Quizás George Washington tuvo un encuentro sobrenatural del cuarto tipo. Se dice que un ángel se le apareció en Valley Forge. También se dice que los ángeles visitaron dos veces a Johnny Cash: la primera cuando tenía doce años y la segunda cuando era un adulto. Las dos veces el ángel le advirtió sobre una muerte inminente. Y también hay la historia (no pude obtener un informe de primera mano sobre ella) de seis cosmonautas rusos, todos ateos, que cuando estaban en el espacio vieron dos veces una banda de ángeles con alas tan grandes como las de un avión gigante.[16]

La gente aún sigue escuchando la voz de Dios y viendo ángeles. El teólogo C. Fred Dickason escribió: «El testimonio combinado de las Escrituras, el Antiguo y Nuevo Testamentos, y de el Salvador, nos aseguran que hay un mundo de criaturas inteligentes, poderosas e invisibles cerca y sobre nosotros, que aprueban nuestro cuidadoso y piadoso estudio y nos desafían a expandir nuestras categorías de pensamiento y a cambiar nuestra conducta de vida de acuerdo a la verdad de Dios».[17]

---

16 Sophy Burnham, *A Book of Angels* [Un libro de ángeles], Ballantine Books, New York, 1990, p. 18.
17 Dickason, *Angels: Elect and Evil* [Ángeles: Elegidos y perversos], p. 23.

CAPÍTULO DOS

LA ÚLTIMA PALABRA DE DIOS SOBRE LOS ÁNGELES

La esfera doctrinal [ángeles y espíritus] a la cual tenemos que entrar y atravesar en esta sección es la más importante y difícil de todas las demás[...] Las Sagradas Escrituras nos dan bastante de qué pensar en cuanto al tema de los ángeles. **Karl Barth**

Nuestro marco de referencia debe ser el de las Escrituras como nuestra suprema autoridad en esta materia.

Billy Graham

No estamos completamente seguros de cuándo ni aun el porqué Dios creó a los ángeles. Los ángeles no se mencionan en ninguna parte en los seis días de la creación en Génesis 1, a menos que estén de algún modo implicados en las «lumbreras en la expansión de los cielos» (Génesis 1.14-19). En Job, por ejemplo, el paralelismo de la poesía hebrea antigua presenta a los ángeles y las estrellas casi como sinónimos:

¿Dónde estabas tú cuando yo fundaba la tierra?
Házmelo saber, si tienes inteligencia.
¿Quién ordenó sus medidas,
si lo sabes?
¿O quién extendió sobre ella cordel?
¿Sobre qué están fundadas sus bases?
¿O quién puso su piedra angular,
Cuando alababan todas las estrellas del alba,
Y se regocijaban todos los hijos de Dios?[1]

En realidad, los ángeles no son estrellas y estas no son ángeles, pero están muy cercanamente asociados unas con los otros en las antiguas porciones de la Biblia,[2] lo cual sugiere que Dios creó a los ángeles, junto con las estrellas, en el cuarto día de la creación.

También es posible que Dios haya creado a los ángeles *antes* de la creación de los cielos y la tierra descrita en Génesis 1. La Biblia no nos dice nada de esto abiertamente, pero quizás lo da por sentado por la aparición de Satanás en el huerto del Edén. ¿Quién es ese ser maligno y cómo llegó hasta ahí? ¿Cuándo cayó de la gracia de Dios? ¿Qué hace el poder maligno en la tierra nueva y sin pecado de Dios? Algunos eruditos creen que determinados ángeles se crearon bastante antes de la creación en Génesis 1, cayeron de la gracia de Dios y más tarde descendieron

---

1 Job 38.4-7, cursivas añadidas. Este «poema» es un ejemplo de un tipo de paralelismo hebreo, el cual sugiere que las ideas paralelas en cada una de las oraciones de repetición son mutuamente inclusivas. Las estrellas y los ángeles también están implicados en Salmos 103.20-21; 148.2-5; y Apocalipsis 1.20.

2 Colin Brown, The Theological Wordbook of the Old Testament, Three Volumes [El libro de palabras teológicas del Antiguo Testamento, Tres volúmenes], Zondervan, Grand Rapids, MI, 1981, vol. 1, pp. 101-2, indica que la creencia popular en los ángeles se incrementó en el judaísmo tardío. «Los ángeles», escribe, «representaban la omnisapiencia y omnipresencia de Jehová, formaban su corte y asistentes, y eran sus mensajeros. *Estaban relacionados con las estrellas*, los elementos, fenómenos naturales y poderes, los cuales gobernaban como representantes de Dios» (cursivas añadidas).

a la tierra. Otros teólogos cristianos piensan que la caída de los ángeles quizás ocurrió en algún momento entre Génesis 2 y 3, entre la creación del ser humano y el encuentro con la serpiente en el huerto del Edén.

De cualquier modo, pareciera que la guerra celestial entre los ángeles buenos y los malos ya estaba en su apogeo antes de que Dios creara a Adán. El mandato en la creación fue, por ejemplo: *Llenad la tierra, y sojuzgadla, y señoread*, lo cual podría sugerir una batalla espiritual (Génesis 1.28). Sojuzgar y señorear sobre la tierra significa más que un simple cuidado y protección de los animales. Esto se vuelve pecaminosamente claro en Génesis 3, donde la serpiente, más que un animal cualquiera, desafía la autoridad de Dios en la nueva tierra.

Esta es la secuencia que yo sugiero sobre la historia primitiva: (1) Dios creó a los ángeles y a otras criaturas celestiales. Pero no sabemos exactamente cuándo. Pablo escribió en Colosenses 1.16: «Porque en Él fueron creadas todas las cosas, las que hay en los cielos y las que hay en la tierra, visibles e invisibles[...] todo fue creado por medio de Él y para Él». (2) Algún tiempo más tarde (todavía no sabemos cuándo), Satanás, quien pudo haber comenzado su carrera como arcángel, condujo una rebelión celestial en contra de Dios. Y perdió. (3) Por último, Dios creó los cielos materiales y la tierra y todo lo que hay en ellos, incluyendo a los seres humanos. En algún punto de la historia (y tampoco sabemos cuándo sucedió), el diablo fue echado a la tierra. Por lo general, la Iglesia acepta esto, aunque muchos de los detalles no están tan claros en la Biblia como nos gustaría.

Apocalipsis 12.7-9 nos dice:

Después hubo una gran batalla en el cielo: Miguel y sus ángeles luchaban contra el dragón; y luchaban el dragón y sus ángeles; pero no prevalecieron, ni se halló ya lugar para ellos en el cielo. Y fue lanzado fuera el gran dragón, la serpiente antigua, que se llama diablo y Satanás, el cual engaña al mundo entero; fue arrojado a la tierra, y sus ángeles fueron arrojados con él.

Está bien claro que esto ocurrió. *Cuándo* sucedió, no se sabe. No podemos estar seguros de que este pasaje describa un hecho pasado o futuro. Mientras que hay quienes creen que se trata de una regresión narrativa sobre la caída de Satanás antes de la creación, hay otros que sienten que este pasaje describe algo que ocurrirá poco antes del fin del mundo, sugiriendo que el poder de Satanás se desatará en la tierra en una furia sin precedente antes de la venida de Cristo (véase Apocalipsis 9.1-6).

Muchos estudiosos de la Biblia piensan que Isaías 14.12-15 podría ser un paralelo:

¡Cómo caíste del cielo,
    oh Lucero, hijo de la mañana!
Cortado fuiste por tierra,
    tú que debilitabas a las naciones.
Tú que decías en tu corazón:
    Subiré al cielo; en lo alto,
junto a las estrellas [¿ángeles?] de Dios,
    levantaré mi trono,
y en el monte del testimonio me sentaré
    [referencia al monte del templo judío, Sion],
    a los lados del norte;
sobre las alturas de las nubes subiré,
    y seré semejante al Altísimo.
Mas tú derribado eres hasta el Seol [el lugar de
    los muertos], a los lados del abismo.

En su contexto histórico, el pasaje que acaba de leer es un juicio profético en contra del rey de Babilonia. Aunque con frecuencia se entiende que tiene una aplicación más amplia sobre la caída llena de orgullo de Satanás. En *La Biblia al día*, una paráfrasis, la frase «Oh Lucero, hijo de la mañana» se traduce «Lucifer».[3] Quizás Jesús hizo alusión a este texto del Antiguo Testamento cuando le dijo a sus discípulos: «Yo veía a Satanás

---

3 El significado de este texto se debate acaloradamente. En realidad, este es el único lugar en la Biblia donde aparece el nombre «Lucifer». En ninguna otra parte se le asigna a Satanás ese nombre. Satanás se le llama «la serpiente», «el diablo», «el dragón», «el destructor», pero no «Lucifer». No obstante, muchos estudiantes de la Biblia, en los cuales me incluyo, basados en similitudes en Ezequiel 28.11-19, Lucas 10.18, Apocalipsis 9.1-6, y 12.7-9, creen que este pasaje es una referencia directa a Satanás y a su caída del cielo.

caer del cielo como un rayo. He aquí os doy potestad de hollar serpientes y escorpiones, y sobre toda fuerza del enemigo, y nada os dañará» (Lucas 10.18-19).

Y Apocalipsis 9.1-2 usa unas figuras similares. «El quinto ángel [de juicio] tocó la trompeta, y vi una estrella[4] que cayó del cielo a la tierra; y se le [Satanás] dio la llave del pozo del abismo [otra palabra para infierno]. Y abrió el pozo del abismo, y subió humo del pozo como humo de un gran horno».

De manera que la Biblia no nos dice, especial y directamente, cuándo creó Dios a los ángeles ni cuándo fue que los ángeles malignos cayeron del cielo. Pero esto sí sabemos: Dios es creador de todas las cosas, incluyendo a los ángeles, y en algún momento de la historia, muchos de esos ángeles se volvieron malos.

Orígenes, uno de los «padres» más conocido de la iglesia primitiva, no ocultó su perplejidad acerca de algunas de estas preguntas: «Esto también es parte de las enseñanzas de la Iglesia, de que hay ciertos ángeles de Dios y ciertas buenas influencias, los cuales son sus siervos realizando la salvación de los seres humanos. Sin embargo, cuándo se crearon estos [ángeles], o cuál es su naturaleza, o cómo es que existen, no está claramente revelado».[5]

Los primeros ángeles *buenos* aparecen en Génesis 3. Después que Dios echa al ser humano del Edén: «Puso al oriente del huerto de Edén querubines [varios ángeles especiales[6]], y una espada encendida que se revolvía por todos lados, para guardar el camino del árbol de la vida» (Génesis 3.24). Billy Graham resume el papel de los ángeles buenos de la siguiente manera:

> ¿Ha visto usted o se ha encontrado usted con uno de esos seres superiores llamados ángeles? Son mensajeros de Dios cuya principal tarea es cumplir las órdenes de Dios en este mundo. Les ha dado el cargo de embajadores. Les ha conferido dignidad de santos diputados para que realicen obras de justicia. De esta forma ayudan a su Creador en la tarea de regir soberanamente

---

4   Aquí está otro versículo que sugiere una relación entre ángeles y estrellas.
5   Brown, vol. 1, p. 102.
6   Rob van der Hart, *The Theology of Ángeles and Devils* [La teología de ángeles y diablos], Fides Publishers, Notre Dame, IN, 1972, p. 23.

el universo. Por tanto les ha otorgado la capacidad de llevar la santa empresa a una feliz conclusión.[7]

TÉRMINOS USADOS EN LA BIBLIA PARA LOS ÁNGELES

Quizás la mejor manera de entender a los ángeles es revisando algunas de las diferentes palabras usadas para «ángel» en los testamentos hebreo y griego de la Biblia. La palabra en castellano «ángel» se deriva de *angelos*, un término griego usado casi doscientas veces en el Nuevo Testamento el cual significa, en su forma simple, «mensajero».

En el mundo helenístico, existente antes de la historia del Nuevo Testamento, el término tenía muy poca significación religiosa y el papel del *angelos* humano era bastante simple: daba mensajes, respondía preguntas, esperaba recibir un pago por sus servicios y recibía la protección de los dioses. El antiguo *angelos* humano podía también ser un diplomático, que hacía tratos y despachaba comunicados oficiales. En la antigua Grecia, a los filósofos, y a veces hasta a las aves, se les refería como *angeloi*.[8]

La idea central en el Nuevo Testamento es que *angeloi* (la forma plural de *angelos*) eran seres *divinos* celestiales con un mensaje de Dios. Por lo general, este concepto en el Nuevo Testamento se toma de la idea judía acerca de los ángeles en el Antiguo Testamento: «Los ángeles son representantes del mundo celestial y son los mensajeros de Dios. Cuando aparecen, el mundo sobrenatural irrumpe en el nuestro».[9]

En el Antiguo Testamento, *malak* es el término usado con mayor frecuencia para referirse a los ángeles. Así como *angelos*, también significa mensajero o representante. La palabra trabajo o negocio en hebreo es *malaka* y *malukut* significa mensaje (véase Hageo 1.13). Malaquías, uno de los profetas del Antiguo Testamento, es un nombre que significa «mi mensajero».

«Mensajero» es la traducción (pero no el significado) de *malak*.

---

7   Graham, p. 30.
8   Collin Brown, vol. 1, p. 101.
9   Brown, vol. 1, p. 102.

Para nosotros, la palabra «mensajero» tiene poco significado comparado con su importancia en el mundo antiguo. Debido a que la comunicación era tan difícil, a veces tomaba semanas entregar un mensaje (antes no tenían teléfonos ni máquinas de fax), el mensajero a veces tenía que hablar y aun hasta mediar en nombre de quien lo había enviado.

Esto se ilustra en Génesis 44. A José, uno de los doce hijos de Jacob, sus hermanos lo vendieron como esclavo. Sorprendentemente, José termina siendo príncipe de Egipto. Cuando una terrible hambruna amenazó toda la región, los hostiles hermanos de José se aventuran a Egipto en busca de comida, sólo para descubrir que su hermano menor se ha convertido en un prominente oficial del gobierno. Al principio, los hermanos no reconocieron a José, aunque él sí los reconoció. Al hablar egipcio fluidamente, José se mantuvo de incógnito y por razones que nunca se explican en la Biblia, trata a sus hermanos con dureza. (Cuando uno lee la historia, da la impresión de que en verdad no las tenía todas con ellos.)

Poco antes de descubrir su verdadera identidad, José envía a sus hermanos de vuelta a casa, con sus animales cargados de comida. Pero con un astuto plan de arrestarlos, José esconde su copa de plata en la bolsa de viaje del menor. Cuando el siervo descubre la copa «robada», uno de los hermanos, Judá, negocia desesperadamente con el siervo, «el mensajero» que representa a José. En realidad, Judá rogaba por la vida de Benjamín. Era como si el siervo-mensajero y su señor, José, fueran uno.

En Génesis 24, Abraham envía a su siervo-mensajero a otro país a buscar esposa para su hijo Isaac. ¿Se puede imaginar a su padre enviando a un secretario de viaje a California o a Nueva York para buscarle una pareja?

La palabra «mensajero» tenía mucho más significado en la cultura antigua del que tiene ahora. En el mundo griego no cristiano, por ejemplo: «Dependían mucho del mensajero, era visto como alguien que estaba bajo protección especial de los dioses, lo cual no sólo significaba que hacer daño al mensajero se consideraba como un acto que atentaba contra los dioses, sino que también denotaba que el mensajero veía su tarea como algo divino[...] Muy poco de esto se encuentra implicado en nuestra palabra "mensajero"».[10]

🐦 🐦 🐦

Si alguien me llegase a preguntar si alguna vez he visto a un ángel, me temo que no podría dar una respuesta satisfactoria. Pero si me fuesen a preguntar que si alguna vez he visto a un mensajero de Dios, la respuesta sería un enfático e inequívoco: «¡Sí, lo he visto!»

Claus Westerman

🐦 🐦 🐦

Así, en su actividad más simple, los ángeles son mensajeros. San Agustín escribió:

> Los ángeles son espíritus, pero no porque sean espíritus es que son ángeles. Se vuelven ángeles cuando son enviados, pues el nombre ángel se refiere a su oficio no a su naturaleza. Me pregunta el nombre de esta naturaleza, es *espíritu*; pregunta por su oficio, es el de un ángel (i.e., mensajero). En tanto que exista, un ángel es espíritu; en tanto que actúe, es un ángel.[11]

Forrester Church lo expresa de la siguiente manera: «Recuerde, los ángeles son tanto los mensajeros de Dios como el mensaje de Dios, testimonios para la eternidad en tiempo, para la presencia de la divinidad en medio de lo ordinario. Cada momento de cada día se complica por sus huellas».[12]

Los ángeles están al constante servicio de Dios. Pueden aparecer, literalmente, trayendo algún mensaje de aliento o dirección. O pueden venir de incógnito, «ángeles inesperados», como a veces se traduce. O, ¡quizás simplemente usted tuvo un día bueno y no está seguro por qué!

---

10 Rob van der Hart, p. 23.
11 *Sermón sobre el Salmo 103.*
12 Forrester Church, *Entertaining Ángeles: A Guide to Heaven for Atheists and True Believers* [Hospedando ángeles: una guía al cielo para ateos y creyentes verdaderos], Harper & Row, San Francisco, 1987, p. 35.

¿CUÁNTOS ÁNGELES HAY?

Sólo podemos imaginar cuántos ángeles hay. Algunas personas han tratado de suponerlo con precisión. Algunos místico del siglo catorce llegaron a la suma exacta (301,655,722) empleando cálculos elaborados, pero oscuros. Especulaciones excéntricas como esta rigieron los estudios teológicos durante los siglos de la Edad Media. Algunos de los primeros luteranos, en una obra llamada *Theatrium Diabolorum,*[13] estimaron que había 2,500 millones de diablos, un número que más tarde se elevó a 10 billones.[14]

🐦 🐦 🐦

Millones de criaturas espirituales caminan en la tierra sin ser vistas, cuando estamos despiertos y cuando dormimos.
Milton, *El paraíso perdido,* **IV**

🐦 🐦 🐦

La Biblia, al igual que todo lo demás que dice acerca de los ángeles, revela el número de seres celestiales sólo hablando en términos generales. Cuando están a punto de arrestarlo, Jesús anuncia que, si así lo quisiera, podría llamar a doce legiones de ángeles que fueran en su ayuda (Mateo 26.53). En el tiempo de Augusto César, una legión comprendía cerca de seis mil hombres, de manera que Jesús hablaba de varias decenas de miles de seres angélicos.

En Deuteronomio 33.2, Moisés canta:

Jehová vino de Sinaí,
   Y de Seir les esclareció;
   Resplandeció desde el monte de Parán,
Y vino de entre diez millares de santos.

Judas 14 nos da un indicio de las multitudes de ángeles que

---

13 Lo que significa, sencillamente, «teatro (o mundo) de diablos».
14 Gustav Davison, *A Dictionary of Ángeles* [Un Diccionario de ángeles], The Free Press, New York, 1969, pp. xiii-xiv.

acompañarán el advenimiento del Señor: «He aquí, vino el Señor con sus santas decenas de millares».

Y en el último libro de la Biblia, Juan ve y escucha «la voz de muchos ángeles alrededor del trono[...] y su número era millones de millones» (Apocalipsis 5.11).

ORGANIZACIÓN ANGÉLICA

Los ángeles se describen comúnmente como multitudes, pero eso no significa que no tengan un sistema. De nuevo, aunque la Biblia virtualmente permanece callada respecto a los arreglos del cielo, esto no ha desanimado a los teólogos especuladores, quizás les podríamos llamar «angeleólogos», quienes han jerarquizado a los seres celestiales en elaborados esquemas.

En *La jerarquía celestial*, Dionisio, quien escribió en el siglo sexto, hiló la tela especulativa del orden angélico con un detalle extraordinario, un organigrama que llegó a verse con gran autoridad.

Los católicos pueden trazar su angeleología a partir de Tomás de Aquino, cuyas ideas acerca de los ángeles recibieron una gran influencia de Dionisio. Mortimer Adler, editor general de la Enciclopedia Británica y autor de una docena de libros, resume y simplifica el esquema de Dionisio:

La sociedad o comunidad de ángeles se dividió en tres jerarquía, y en cada una había tres coros u órdenes de ángeles; en la primera y más alta jerarquía estaban los serafines, querubines y tronos en orden descendente; en la segunda jerarquía, la media, estaban los dominios, virtudes y poderes; en la tercera y más baja jerarquía estaban los principados, arcángeles y ángeles.

Expresado en los términos más simples, el orden descendente de las jerarquías, y de los tres coros en cada una, consistía en los grados de perfección de las criaturas: los serafines representaban el grado más alto de perfección entre las criaturas de Dios y los ángeles simples la más baja. La perfección a la cual se referían no era moral, sino metafísica, una perfección en el modo de ser.[15]

---

15 Adler, p. 45.

Los libros de Billy Graham son fundamentalmente bíblicos y confiables. Sugiere, basando sus ideas en Colosenses 1.16 y en otros pasajes de la Biblia, la siguiente organización angélica: arcángeles, ángeles, serafines, querubines, principados, autoridades, potestades, poderes, tronos y dominios.[16] Pablo escribe en el pasaje de Colosenses: «Porque en Él [Cristo] fueron creadas todas las cosas, las que hay en los cielos y las que hay en la tierra, visibles e invisibles; sean tronos, sean dominios, sean principados, sean potestades».

Este versículo se refiere primordialmente a la autoridad de Cristo sobre los reinos de este mundo; pero más que eso, se puede referir a los principados y poderes de las tinieblas que influyen sobre esos reinos. Pablo afirma en otra de sus cartas: «Porque no tenemos lucha contra sangre y carne, sino contra principados, contra potestades, contra los gobernadores de las tinieblas de este siglo, contra huestes espirituales de maldad en las regiones celestes» (Efesios 6.12).

Estos pasajes nos dicen que en verdad hay jerarquías celestiales, pero no se aclara si estas oficinas celestiales son de ángeles de luz o de tinieblas. Es imposible determinar estos rangos con certeza, pues varios versículos de la Biblia usan diferentes términos para las huestes angélicas en diferente orden.

El teólogo C. Fred Dickason menciona que hay «suficiente evidencia como para decir que existen rangos distintos y graduales, pero no hay suficiente evidencia como para hacer una comparación completa o un organigrama».[17] San Agustín reconoce, hablando del rango y orden social de los ángeles, lo siguiente: «Dejemos a quienes son capaces que contesten estas preguntas, si es que pueden probar que sus respuestas son ciertas; porque en lo que a mí respecta, confieso mi ignorancia».[18]

Sabemos con certeza un par de cosas acerca de los rangos angélicos: primera, de acuerdo a los capítulos uno y dos de He-

---

16 Graham, p. 57.
17 Dickason, *Ángeles* [Ángeles], p. 87.
18 Philip Schaff y Henry Wace, eds., *A Select Library of Nicene and Post-Nicene Fathers of the Chrsitian Church*, Series 1 [Una biblioteca selecta Nicena y Posnicena de los padres de la iglesia cristiana, serie 1], Eerdmans, Grand Rapids, MI, vol. 3, p. 256.

breos los ángeles tienen un rango mucho más bajo que Dios el Padre y su Hijo, Jesús; y segunda, de acuerdo al Salmo 8.5, los seres humanos somos «poco menor que los ángeles».[19]

MI ÚLTIMA PALABRA RESPECTO A LA ÚLTIMA PALABRA DE DIOS ACERCA DE LOS ÁNGELES

En resumen, Dios creó a los ángeles, incontables millares de ellos, en algún momento anterior a la creación del universo. En esa bruma anterior al tiempo, se libró una guerra en los cielos que provocó la expulsión de Satanás y sus ángeles. Los seres humanos fueron creados a la imagen de Dios, un poco menor que los ángeles. Por lo general, los mensajeros de la Palabra de Dios son los ángeles buenos que sirven a Dios y a su pueblo, mientras que los ángeles malos simplemente están al servicio de Satanás y sus propósitos. Y los ángeles en ambos reinos, de la luz y las tinieblas, están gobernados por rangos y órdenes.

Pero, ¿cómo son los ángeles? En los dos capítulos siguientes pintaremos un retrato de los ángeles y así daremos un vistazo más cercano a las labores a las que se dedican.

---

19 La palabra traducida «ángeles» en la versión Reina Valera es la palabra hebrea *elohim* que quiere decir Dios. Es evidente por el contexto, y por muchas otras citas bíblicas, que esta palabra no se puede traducir «Dios» de manera apropiada en este versículo.

CAPÍTULO TRES

CARA A CARA CON LOS ÁNGELES

Los ángeles de Dios son seres brillantes y resplandecientes que emanan luz e irradian la gloria de Dios.

Basilea Schlink

Los verdaderos ángeles no son tontos. No llevan aureola, ni tampoco tocan el arpa ni cantan las mismas canciones viejas una y otra vez eternamente.

Forrester Church

Una amiga cercana, sensible e inteligente, me pasó esta reseña sobre los ángeles, con la condición de que no mencionara su nombre. Se trata de una aparición angélica excepcional que nos da una idea acerca de cómo son los ángeles y a qué se dedican.

43

Supe que estabas buscando testimonios sobre experiencias con ángeles. Dudé en escribirte, pero decidí arriesgarme. Puedes contar mi experiencia si lo deseas, pero sólo si lo haces de forma anónima. Me di cuenta bastante pronto que no debo relatarla tan libremente debido a las reacciones adversas que recibí.

Hace aproximadamente ocho años me encontraba orando con otra señora de mi iglesia. Durante años esta hermana estuvo atormentada con sentimientos de inferioridad y fracaso. Tenía serias dudas de que Dios la amara y la hubiera perdonado. Había recibido una gran preparación en Biblia y consejería, pero parecía incapaz de salir de la depresión que las dudas le causaban. Dos de nosotras fuimos a orar por ella a su casa. Habíamos ayunado a inicios de esa semana, pero habíamos comido el día anterior y esa mañana; yo quería que estuviéramos físicamente listas. En otras palabras, lo que voy a decirte no se debió a la alucinación por falta de comida.

Comenzamos la ministración con adoración. Luego oramos. Orábamos y cantábamos, orábamos y cantábamos. El tiempo pasó con rapidez, aunque en realidad estuvimos con nuestra amiga varias horas. Seguíamos sintiendo que no habíamos llegado a la raíz, de manera que continuábamos orando. Después, mi compañera de oración tuvo la sensación de que algo le pasó a nuestra amiga en su nacimiento. Mis recuerdos de lo que dijimos, exactamente, son nebulosos, porque desvié mi atención.

La presencia del Señor se sentía fuertemente en ese cuarto. Tenía mis ojos cerrados, pero me di cuenta de que podía ver un brillo intenso. Era como si pudiera «ver» a un ser radiante frente a mí, atrás de mi compañera de oración. También podía «sentir» una presencia celestial detrás de mí. Sabía que era un ángel y estaba maravillada.

No hice nada durante algunos minutos, esperando que esa presencia se fuera. Luego abrí mis ojos y miré tal cual era a ese ser con mis ojos abiertos. Era bastante alto, brillante y parecía transparente. Tenía puesta encima una especie de túnica. No tenía cabellos en su cara y creo que su pelo era largo y peinado hacia atrás. Estoy segura de que esta criatura era un ángel. Hablo de «él» como si fuera un varón, pero con todo y eso sabía que no se trataba de un varón.

Estaba un poquito asustada y muy asombrada. El ángel parecía tan alto como el techo. Después volví mi cabeza lentamente y he ahí que estaba otro ángel. Esta era la presencia que sentía detrás de mí. También este ángel era muy alto, parecía de complexión musculosa y tenía el pelo rojo o rojizo. Estaba vestido de forma similar, excepto que blandía una enorme espada.

No estaba precisamente asustada, pero sí abrumada, asombrada e intimidada por completo. Luego me invadió una paz y entonces supe que estos ángeles estaban ahí para protegernos y ministrarnos. No escuché voz alguna, y los ángeles no dieron muestra de haber advertido mi presencia.

En este momento recobré la atención hacia mi compañera de oración y hacia la mujer por quien orábamos y que yacía en el piso. Mi amiga, quien oraba por esta mujer como si estuviera a punto de dar a luz, gritó: «Ya es hora del parto».

Sé que esto suena extraño, por eso me contuve de contar esta historia, pero cuando le preguntamos a la mujer que a quién se parecía «el bebé», comenzó a llorar y a reír. Nos dijo: «Soy yo, y soy preciosa y nueva». Luego nos dijo que sabía que había nacido de nuevo.[1]

En este momento noté que el ángel que estaba detrás de mi compañera de oración tenía una bolsa oscura de papel. Estaba perpleja. Luego mi amiga también puso cara de confundida cuando dijo: «Hay algo más que Dios quiere hacer. El posparto no ha terminado». El ángel dio un paso hacia el frente, tomó lo que «percibí» como una masa de color café, la puso en la bolsa y se fue a través del techo. El ángel a mis espaldas lo siguió.

Todo el tiempo que duró la experiencia no dije nada. Cuando los ángeles se fueron, en ese preciso momento, las otras dos mujeres me miraron y con calma dijeron: «Ha terminado».

No pretendo entenderlo todo. Esta es la única experiencia de este tipo que he tenido en mi vida y estoy cerca de los cuarenta.

«Renacido» en el sentido de sanidad interior, no de «nacer de nuevo», como cuando uno se convierte a Cristo.

Durante varios meses, me mantuve en contacto con la mujer por la que oramos y parece que hubo un cambio real en ella después de esta experiencia. Por fin llegó la liberación que tanto anhelaba.

Mi amiga tuvo un encuentro angélico del cuarto tipo. Su ángel apareció cara a cara, lo cual es la excepción, no la regla. Diremos más en cuanto a la apariencia de los ángeles más adelante en este capítulo, pero demos ahora un poco de contexto.

¿Cómo podemos saber si un ángel se ha cruzado en nuestro camino? A veces uno no lo sabe, porque los ángeles aparecen de casualidad. Es decir, *parecieran* como hechos fortuitos, pero ellos son en realidad parte del plan de Dios cuidadosamente orquestado para nuestra vida.

ÁNGELES DE CASUALIDAD

Génesis 24 cuenta la historia de cómo Abraham encontró esposa para su hijo Isaac: «por casualidad». En ese tiempo, Abraham vivía en suelo extranjero, un tanto distante de su parentela, de manera que comisionó a su siervo:

—No dejarás que mi hijo Isaac se case con una mujer de esta tierra de Canaán, donde yo vivo, sino que irás a mi tierra y escogerás una esposa para él entre las mujeres de mi familia.

El siervo le contestó:

—Pero si la mujer no quiere venir conmigo, ¿qué hago? [¡Buena pregunta!] ¿Debo entonces llevar a tu hijo a la tierra de donde saliste?

Abraham le dijo:

—¡No, no lleves allá a mi hijo! El Señor, el Dios del cielo, que me sacó de la casa de mi padre y de la tierra de mis parientes y me prometió dar esta tierra a mis descendientes, también *enviará su ángel delante de ti para que traigas de allá una esposa para mi hijo* (Génesis 24.1-7, *Dios habla hoy*, cursivas añadidas).

Esta es la única mención a ángeles en el texto, pero quiero creer que Abraham no estaba simplemente dándole a su siervo un tipo de despedida usual en la antigüedad, como: «¡Que los ángeles te acompañen, mi amigo!» No, el ángel de Dios estaba actuando de manera invisible para dar una respuesta a la oración. Cuando el sirviente llegó a la ciudad de Nacor, hizo arrodillar los camellos en las afueras, cerca del pozo de agua. Era cerca del atardecer, la hora en la que las mujeres salían a sacar agua del pozo.

El asunto en todo esto es que ninguno es accidental. El ángel trabajaba duro mientras que el siervo oraba: «Señor y Dios de mi amo Abraham, haz que hoy me vaya bien[...] Voy a quedarme aquí, junto al pozo, mientras las muchachas de este lugar vienen a sacar agua. Permite que la muchacha a la que yo diga: "Por favor, baja tu cántaro para que yo beba", y que me conteste: "Bebe, y también daré agua a tus camellos", que sea ella la que tú has escogido para tu siervo Isaac[...] Todavía no había terminado de orar, cuando vio a una muchacha que venía con su cántaro al hombro. Era Rebeca».

El resto, como luego dicen, es historia. Una cosa condujo a la otra. O quizás debiéramos decir que un ángel fue responsable de poner una cosa tras otra. Y Rebeca llegó a ser la esposa de Isaac.

Para los cristianos, no hay tal cosa como hechos casuales. Cada situación de la vida tiene matices providenciales. Tal vez son en realidad seres celestiales invisibles que intervienen directamente a nuestro favor. Mi amigo, Duane Rawlins, adjudica a una presencia angélica invisible el haber evitado un serio accidente automovilístico.

El incidente ocurrió cuando tenía diecisiete años de edad, un nuevo conductor que amaba ir a gran velocidad por las calles del pueblo. Eran cerca de las ocho de una tarde oscura. Delante de mí, en el límite de mis brillantes luces delanteras, había una ligera elevación en la carretera. Un pensamiento cruzó por mi mente: «Voy a usar esa pequeña loma en el camino para hacer volar a este automóvil». Lo que no sabía era que esa pequeña elevación que se aproximaba a gran velocidad era el paso a nivel de un cruce del tren. Mi visión estaba obstruida por los árboles y no había señales ni barrera de golpe que impidieran pasar.

De repente, mientras serpenteaba el camino hacia la leve subida, una inexplicable fuerza detuvo mi auto cuando un inesperado y rápido tren cruzaba por las vías. Cuando me percaté de lo que acababa de suceder, la adrenalina se elevó en mi cuerpo debido al pánico. Me debilité tanto y estaba tan asustado, que apenas podía manejar de regreso a casa. No tengo duda alguna de que habría muerto al instante si no hubiera sido por esa «fuerza inexplicable».

He recopilado varios informe como este. He aquí otro, de uno de los miembros de nuestra iglesia.

Una vez iba conduciendo mi camioneta y escuchando una grabación de Amy Grant. En un momento de esos en que a uno casi se le paraliza el corazón, me libré, por unos cuantos centímetros, de no pegarle al automóvil que iba delante del mío. «¿¡Cómo fue que nos libramos de chocar!?», pensé.

A los pocos segundos, el casete de Amy Grant cambió solo a la otra cara, mi radiocasetera tiene esta función, ¿y adivinen qué canción se escuchó? «Ángeles cuidan de mí».

Quizás esa fue una coincidencia, pero prefiero creer que de esa manera Dios me dijo que cuidaba de mí.

La mayoría de la actividad angélica de este tipo es invisible. Otras veces, los ángeles aparecen bajo semejanza humana, «ángeles inadvertidos», algo de lo cual hablaré e ilustraré en un capítulo posterior. Pero una que otra vez en cada tiempo de la vida[2] los ángeles se materializan, literalmente, en su forma celestial, de manera muy similar a la de los dos ángeles que aparecieron a mi amiga en la historia al principio del capítulo.

OPINIÓN DE UN ÁNGEL: SOBRE ALAS Y OTRAS COSAS

¿Cómo son los ángeles cuando se aparecen tal cual y no se disfrazan de hechos «casuales» ni como seres humanos? A manera de preparación para escribir este libro y como parte de mi proyecto final para el grado de Doctor en Ministerio del Western Conservative Baptist Seminary, de Phoenix, conduje una encuesta[3]

---

2   La mayoría de la gente no ha tenido un encuentro con un ángel del cuarto tipo, un encuentro cara a cara con un ser celestial. Y quienes lo han tenido, han visto un ángel únicamente una o dos veces en su vida.
3   El contenido de la encuesta y los resultados se detallan en el Apéndice 1.

de varios cientos de personas en diferentes tipos de iglesias, incluyendo evangélicas, carismáticas protestantes y católicorromanas. Entre las personas que dicen haber visto un ángel existen algunos aspectos bastante comunes acerca de la apariencia angélica.

De las muchas experiencias angélicas que recabé, quizás tantas como un ciento, son sorprendentemente similares. Esto es muy significativo, ya que las personas que me contaron sus historias no hablaron entre sí con anterioridad. Ni siquiera se conocen.

Una descripción en particular sobresale, como un buen ejemplo de los diversos elementos en común que aparecen en muchos encuentros angélicos. Los ángeles que aparecieron a uno de los caballeros que participaron en mi encuesta: «Tenían brazos, manos, piernas, pies y alas, y podía ver sus caras. Las figuras eran de cuerpo completo, transparentes y brillantes. También parecía que estaban vestidos con túnicas largas, o algo que les cubría desde sus cuellos hasta sus tobillos y muñecas. Y tenían una especie de cinta alrededor de sus cinturas».

Esta es otra historia «típica» de ángeles, que me contó un amigo, Robert Obergfoll.

Eran cerca de las diez de la noche cuando mi hermano y yo, niños en ese entonces, nos arrodillamos a un lado de nuestras camas para orar. De lo que recuerdo, era una tranquila noche de primavera, el cielo brillaba a la luz de una luna creciente. La ventana de nuestro dormitorio tenía vista al este y una brisa ligera corría por la tela de la ventana abierta. Era como si las cortinas respiraran. Inhalando con suavidad. Exhalando.

Mi hermano se fue a la cama primero. Era una gran noche. Había puesto su diente bajo la almohada preparándose para cuando el «ratón viniera y le dejara un premio por su diente». En realidad, no creíamos en el asunto ese del ratón que viene por los dientes, pero como niños católicos, creíamos en los ángeles. De manera que inocentemente oramos para que Dios enviara a uno de sus ángeles para que se llevara el diente de mi hermano y no dispusimos a dormir.

Ya tarde esa noche, no tengo idea de qué hora sería, un fortísimo viento que entró a nuestra habitación me despertó. Mi cama estaba al lado derecho de la ventana y la cama de mi hermano estaba al lado izquierdo. Todavía puedo verlo ahí, durmiendo al otro lado del pequeño espacio que había entre nuestras camas y la fuerte brisa agitando las cortinas como banderas que volaban paralelas al piso.

Con los ojos bien abiertos, miré con intensidad hacia la ventana y vi cómo una luz brillante aparecía. Repentinamente, un ángel, como si estuviera cabalgando en el aire, voló a través de la ventana y entró en nuestro cuarto. El ángel estaba parado muy recto, como si hubiera salido directo de la pared. Era más alto que mis padres y era tan alto como el techo de nuestra habitación. Era de color azul claro y transparente. No podría decir si se trataba de una mujer o un hombre, pero tenía el pelo largo y una hermosa cara.

El ángel nunca se volvió a verme, pero fijó su atención en mi hermano, como lo habíamos pedido temprano esa tarde en nuestra oración. El ángel apoyó una rodilla en la cama de mi hermano, se acercó a él y con su mano derecha tocó suavemente su cara.

Lo primero que vino a mi mente fue que el ángel iba a llevarse el diente. Pero parecía que tenía otro propósito. Sin siquiera voltear a verme, ni percatarse de mi presencia en la habitación, el ángel se puso de pie y salió de nuestro cuarto tal y como había entrado. Toda esta experiencia pareció haber tomado varios minutos, pero en realidad no tengo idea de cuán larga fue. Después que el ángel se fue, me levanté y desperté a mi hermano para decirle lo sucedido. Los dos nos quedamos sentados en un momento de encantamiento y asombro antes de ir a contarles a nuestros padres.

Tiempo después, durante ese mismo año, a mi hermano le diagnosticaron un serio desorden sanguíneo. Él está vivo hoy en día, y creo que eso está en relación directa con el toque de ese ángel.

Hay bastantes similitudes sobrenaturales en mi colección de historias sobre aparición de ángeles, especialmente en las descripciones de los ángeles mismos. Casi siempre resultan ser bastante altos, por lo general, de diez pies. Son brillantes, de un blanco resplandeciente y a menudo con un tono azulado. Sus rostros son indescriptibles, de manera que no es posible reconocer su género.[4] Regularmente están vestidos con una túnica larga y con frecuencia atada con un cinturón o correa de oro.

A menos que aparezcan en forma humana, lo cual parece ser el caso en la mayoría de los relatos que escuché, los ángeles son transparentes. Muchos me dijeron que se «podía ver a través de los ángeles». Las apariciones de los ángeles son también bastante breves y, si el ángel habla, no es usual que sea en la forma de una conversación normal. Quizás sería más adecuado decir que los ángeles se «comunican» más que «hablan». Y lo último, pero no menor que los demás puntos de los informes, es que en las historias que me han contado, los ángeles por lo general no tiene alas.

¿Es realmente esta la forma en que se ven los ángeles? ¿Podemos depender de lo que la gente nos dice en sus experiencias personales? Billy Graham nos recuerda: «La historia de casi todas las naciones y culturas revelan por lo menos cierta creencia en seres angélicos[...] Pero sea cual fuere nuestra tradición, nuestro punto de referencia será la Biblia como nuestra suprema autoridad en la materia».[5]

¿Qué podemos aprender en la Biblia acerca de los ángeles y de cuál es su apariencia? La Palabra de Dios sugiere tres categorías amplias. *Primera*, los querubines. Estos son una clase especial de ángeles cuya apariencia y características se dan con más detalles en la Biblia. Hablaremos más de ellos en uno de los capítulos siguientes. Los querubines, dicho sea de paso, tienen alas.

Segunda, en los libros históricos del Antiguo Testamento, casi cada referencia a los ángeles está de alguna manera relacionada a «el ángel del Señor», que tiende a mostrarse como varón o como un visitante inesperado. En este caso, creo que «mostrarse»

---

4   Si bien el género de los ángeles no se especifica en la Biblia, es importante hacer notar que en el texto griego del Nuevo Testamento, la palabra «ángel» siempre se encuentra en masculino, nunca en femenino ni neutro.

5   Graham, 34.

es más adecuado que «aparecerse», porque eso es precisamente lo que hace. El ángel del Señor toma la forma de un visitante o invitado, que llega como si acabara de venir de un viaje.[6] De acuerdo a la Biblia, el ángel del Señor *nunca* tiene alas.

Tercera, el ángel del Señor es, a diferencia de muchos de los ángeles de los encuentros angélicos en el Nuevo Testamento, donde los mensajeros celestiales se materializan y luego desaparecen, más como una luz repentina que aparece y desaparece en una bombilla cuando prendemos o apagamos el interruptor de la luz. La apariencia de cómo los ángeles se ven en estas apariciones, en la mayoría de los casos, no se dicen con detalles. Por ejemplo, cuando el ángel Gabriel apareció a Zacarías y más tarde a María en Lucas 1, se hace omisión total a su apariencia. Sin alas. Sin aureolas. Sin siquiera un rayo de luz, lo cual es inusual.

☙ ☙ ☙

Todos vosotros ángeles, progenie de la luz.
Milton

☙ ☙ ☙

Cuando los ángeles se mencionan en la Biblia, pareciera que la luminocidad o la brillantez fuera la cualidad mencionada con mayor frecuencia. A esto quizás se deba que casi siempre vemos aureolas en las pinturas de ángeles. Las aureolas, por supuesto, son esos pequeños y graciosos aros, coronas doradas, flotando como los anillos de Saturno unos cuantos centímetros por encima de las cabezas de los ángeles y de la gente santa en las pinturas antiguas. Algunas veces a las aureolas se les llama «auras».[7]

La presencia de Dios a menudo aparece en la Biblia como una nube de luz, la gloria de Jehová, y los ángeles como mensajeros parecieran ser portadores de la brillante gloria de Dios, algo que los hebreos llamaban «la *shekinah*». Por cierto, en momentos extraordinarios, la luz especial de la presencia de Dios puede también cubrirnos. Una vez, mientras predicaba, alguien

---

6 En el capítulo 8 investigaremos el uso de la frase «el ángel del Señor».
7 Algunas personas están interesadas en leer el «aura personal», las clases y colores de la luz que suponen representa nuestra personalidad. Esta práctica es estrictamente cúltica.

en la congregación me informó haber visto un resplandor de luz alrededor de mi cuerpo como el mencionado. Después me pregunté cuál sería el significado de dicho suceso, una no es bastante frecuente en más de veinte años de predicar.

Moisés tuvo un encuentro similar, aunque mucho más poderoso, con la luz de la presencia de Dios. Después de pasar un tiempo a solas con Jehová en el monte Sinaí, la cara de Moisés estaba tan brillante que los hijos de Israel no podían hablar con él sin cubrirse los ojos. En Éxodo 34.29-30 leemos acerca de esto:

> Y aconteció que descendiendo Moisés del monte Sinaí con las dos tablas del testimonio en su mano, al descender del monte, no sabía Moisés que la piel de su rostro resplandecía, después que hubo hablado con Dios. Y Aarón y todos los hijos de Israel miraron a Moisés, y he aquí la piel de su rostro era resplandeciente; y tuvieron miedo de acercarse a él.

Los ángeles, entonces, son seres de brillante, a veces resplandeciente, luz. Sugiriendo que su habitación es en los cielos, en la brillante y resplandeciente presencia de Dios. Algo de Dios se les ha pegado.

La luz de Dios y de sus ángeles puede tener algo de importancia científica también. Hay quienes han especulado que la luz, según se entiende en el marco de trabajo de la teoría de la relatividad de Einstein, es en realidad la barrera entre el tiempo y la eternidad. Sabemos por la hipótesis de Einstein y otros experimentos subsiguientes que, a medida que una materia física alcanza la velocidad de la luz, el tiempo se detiene y la materia se vuelve infinita. En otras palabras, a la velocidad de la luz algo extraordinario sucede: el tiempo y el espacio reales, tal como los conocemos, desaparecen.

La velocidad de la luz quizás represente la barrera de la dimensión del tiempo y del espacio, una destellante cortina entre el mundo material visible y la eternidad. A lo mejor existe aquí una conexión con la afirmación bíblica de la naturaleza de la deidad: Dios es luz. Y tal vez por eso los ángeles parecen brillantemente iluminados.

De acuerdo a muchos estudios de «experiencias en el umbral

de la muerte» (EUM), la gente moribunda, las personas que están al borde de la atemporalidad, comúnmente ven un «ser de luz». Aun la resurrección de Cristo la acompañaron seres resplandecientes. Mateo narra que «hubo un gran terremoto; porque un ángel del Señor, descendiendo del cielo y llegando, removió la piedra, y se sentó sobre ella. *Su aspecto era como un relámpago, y su vestido blanco como la nieve*» (Mateo 28.2-3, cursivas añadidas).

Lucas añade: «El primer día de la semana, muy de mañana, vinieron al sepulcro, trayendo las especias aromáticas que habían preparado, y algunas otras mujeres con ellas. Y hallaron removida la piedra del sepulcro; y entrando, no hallaron el cuerpo del Señor Jesús. Aconteció que estando ellas perplejas por esto, he aquí se pararon junto a ellas dos varones *con vestiduras resplandecientes*» (Lucas 24.1-4, cursivas añadidas).

Los ángeles son seres celestiales, «estrellas» radiantes con la luz de la presencia de Dios. Hebreos 1.7 los nombra «llama de fuego», una imagen «brillantemente iluminada» a través del libro de Apocalipsis:

Vi descender del cielo a otro ángel fuerte, envuelto en una nube, con el arco iris sobre su cabeza; y *su rostro era como el sol, y sus pies como columnas de fuego.* **Apocalipsis 10.1 (cursivas añadidas)**

Después de estas cosas miré, y he aquí fue abierto en el cielo el templo del tabernáculo del testimonio; y del templo salieron los siete ángeles que tenían las siete plagas, *vestidos de lino limpio y resplandeciente, y ceñidos alrededor del pecho con cintos de oro.*
Apocalipsis 15.5-6 (cursivas añadidas)

Después de esto vi a otro ángel descender del cielo con gran poder; *y la tierra fue alumbrada con su gloria.*
Apocalipsis 18.1 (cursivas añadidas)

Y también están las espadas encendidas: «Echó, pues, fuera al hombre, y puso al oriente del huerto de Edén querubines, *y una espada encendida que se revolvía por todos lados,* para guardar el camino del árbol de la vida» (Génesis 3.24, cursivas añadidas).

Mi amiga, la de la historia que conté al principio de este ca-

pítulo, vio un ángel con una espada encendida como protección
y defensa parado al lado de la mujer que estaba «dando a luz».

¿Qué más podemos decir respecto al aspecto de los ángeles?
En la Biblia, muchas de las criaturas celestiales de Dios tienen
alas. En Daniel 9.21 leemos de un ángel que se apresura para
traer el mensaje de Dios al profeta. Mientras que Daniel todavía
oraba, Gabriel vino a él «volando con presteza» cerca de la hora
del sacrificio de la tarde. No se mencionan alas específicamente
en este pasaje, pero el ángel de Daniel debió haber tenido algunas facultades aeronáuticas.

&a &a &a

Cuán dulcemente flotan con sus alas
De silencio atravesando la vacía bóveda de la noche.
Milton, *Comus*[8]

Los ángeles pueden volar
porque se toman a sí mismos ligeramente.
Refrán escocés

&a &a &a

Theodora Ward, en su libro Men and Angels, observa que:
«Toda mitología tiene seres alados[...] La asociación de los ángeles con las alas ha sido tan común que hasta una fecha tardía
como 1930, el *Shorter Oxford English Dictionary* definía la palabra
"ala" como "uno de los apéndices motores u órganos por medio
de los cuales el vuelo de un pájaro, murciélago, insecto, *ángel*,
etc., se lleva a efecto"».[9]

Alas, sí. Plumas, no. En ninguna parte la Biblia sugiere que
las alas de los ángeles tengan plumas ni que parezcan alas de
pájaros, como lo hacen en muchas pinturas y esculturas. Es más,
en todo caso, sólo los querubines, una clase especial de ángeles,
son los que aparecen como ángeles esculpidos en madera ase-

---

8 Joan Webster Anderson, Where Angels Walk: True Stories of Heavenly Visions [Donde caminan los
   ángeles: historias verdaderas de visiones celestiales], Barton and Brett, Sea Cliff, NY, 1992, p. 22.
9 Theodora Ward, *Men and Angels* [Hombres y ángeles], Viking Press, New York, 1969, p. 7, cursivas
   añadidas.

gurando cada extremo de la cubierta del propiciatorio, la tapa, del arca del pacto.

Una pequeña caja del tamaño de un escritorio, labrada en madera y cubierta con oro, el arca (no el arca de Noé) era el lugar de la morada de Jehová. Se guardaba en el pequeño santuario interior llamado el Lugar Santísimo, en el tabernáculo de Moisés. Entre los dos querubines de oro flotaba la gloriosa nube de la presencia especial de Dios, la *shekinah*. Una vez al año, el sumo sacerdote, en tiempo de *Yom Kippur*, el día de Expiación, rociaba la sangre sacrificial sobre la cubierta del propiciatorio para redimir a Israel de sus pecados. «Y los querubines [de oro] extendían sus alas por encima, cubriendo con sus alas el propiciatorio; y sus rostros el uno enfrente del otro miraban hacia el propiciatorio» (Éxodo 37.9).

Querubines reales alados aparecen en maravillosa gloria en Ezequiel. En esa época de la historia judía, los babilonios habían destruido a Jerusalén y su templo, y se llevaron consigo el arca y sus querubines de oro como motín de guerra. Pero los querubines *celestiales* de Jehová estaban todavía velando sobre Israel, como Ezequiel lo descubrió:

> El aspecto de los seres [querubines[10]] era como de carbones encendidos, o como algo parecido a antorchas que iban y venían en medio de ellos; el fuego era resplandeciente, y de él salían[...] Por encima de sus cabezas se veía una especie de bóveda, brillante como el cristal. Debajo de la bóveda se extendían rectas las *alas* de aquellos seres, tocándose unas con otras. Con dos de ellas se cubrían el cuerpo.
>
> **Ezequiel 1.13-14,22-23, Dios habla hoy (cursivas añadidas)**

Todos los ángeles, entonces, tienen ciertos medios para volar. Algunos tienen alas. También sabemos que los ángeles hablan, porque regularmente hablan con la gente en la Biblia. Por medio de las antiguas fuentes judías, como el *Targum Yerushalim* y el *Libro del jubileo*, se nos ha dicho que la lengua de Dios en la

---

10 Véase Ezequiel 10.20.

creación y en Edén era el hebreo. Esto no lo sabemos directamente de la Biblia, pero el hebreo es la lengua de la historia de la creación del Génesis. Quizás podríamos pensar que los ángeles hablaban la misma lengua.[11]

También suponemos que hablan su propio idioma o sus idiomas en el cielo. O tal vez sean políglotos. El apóstol Pablo hace referencia a las «lenguas humanas y *angélicas* (1 Corintios 13.1)», indicando así que pueden existir dialectos celestiales únicos.

Los ángeles pueden mostrar emociones. En Lucas 15.10 Jesús nos dice: «Os digo que así también hay alegría entre los ángeles de Dios por un pecador que se convierte» (Lucas 15.10). Y mi tío en verdad escuchó que esto sucedió en una ocasión.

En 1967, uno de sus amigos, Joe (este no es su verdadero nombre), se había convertido a Cristo recientemente. Procedente de un medio judío, tenía un alto grado de incertidumbre acerca de lo que le estaba sucediendo, de manera que le pidió a Dios alguna clase de señal en su servicio bautismal.

Mi tío y su esposa estaban parados con un pequeño grupo de cristianos a las orillas del río Chagrin, al este de Cleveland, Ohio. Nadie más estaba cerca de allí. No había casas cercanas. No había explicación natural para lo que sucedió después.

Mientras bautizaban a Joe, sólo por unos breves momentos, mi tío y *todos los demás, incluyendo a Joe*, escucharon música etérea procedente del cielo. No era comparable a nada que mi tío hubiera escuchado antes, me comentó.

Dos años más tarde, en 1969, mi tío y su esposa asistieron a su primer servicio de alabanza carismático, en donde escuchó lo que los carismáticos llaman «cantar en el Espíritu». Cuando lo escuchó, se dijo para sí: «Esto es como la música etérea que escuchamos en el bautismo de Joe».

¡Los ángeles se regocijaban en el cielo!

¿Pero a qué se dedican los ángeles? De eso precisamente hablaremos en el siguiente capítulo.

---

11 Davidson.

CAPÍTULO CUATRO

A QUÉ SE DEDICAN LOS ÁNGELES BUENOS

Estos son llamados espíritus puros y benditos; viven en la tierra y son buenos; se encargan de velar por los mortales y defenderlos del mal; se encargan de hacer cumplir las normas y de guardar el orden; se hacen presentes en la oscura niebla y vagan errantes por toda la tierra; otorgan riquezas; porque esto es bueno.

Hesíodo, *Los trabajos y los días*

Los ángeles son ministros y nos dispensan de la generosidad divina. De acuerdo a esto, se nos dice cómo velan por nuestra seguridad, cómo se hacen cargo de nuestra defensa, dirigen nuestros pasos y están atentos de que nada malo nos suceda. **Juan Calvino**

¿Por qué existen los ángeles? ¿Para qué los necesita Dios o nosotros? En cierto sentido, si Dios es Dios, *deben* existir seres con libre albedrío. *Debe* haber ángeles. Dios es el jugador principal del equipo, comenzando por su naturaleza: tres Personas trabajando como único Dios. Es casi como si los ángeles y los seres humanos fueran la expresión creativa necesaria de la naturaleza de Dios. Ahora bien, no quiero decir con esto que Dios no pudo autocontrolarse cuando creó a los ángeles y a Adán y Eva, ni que la vida de los ángeles y la vida humana fuera de algún modo la inevitable consecuencia de la evolución celestial. Pero debido a que Dios es como es, Él no lo habría hecho de ninguna otra manera. Dios creó a las personas y a los ángeles para participar con Él en su orden creado.

Dios no «necesita» ángeles, pero los usa. De manera que cuando las cosas suceden misteriosamente para forjar nuestras vidas, ¿se trata de Dios o de algún ángel?

¡Sí, así es!

Karl Barth escribió: «Evitamos tanto la sobrevaloración de los ángeles por un lado y por el otro su subestimación. Afirmamos el solo señorío y la gloria de Dios, pero también el solo señorío y la gloria de Dios a través del ministerio de los ángeles».[1]

Ahora hablaremos de aquello a lo que en realidad se dedican los ángeles.

¡SANTO CIELO, SON ÁNGELES!

La mayoría del trabajo que los ángeles hacen es en el cielo. Ya he mencionado que, no obstante, hay probablemente millones de ángeles que se ocupan de día y de noche al cuidando de nosotros. Casi todo su trabajo es invisible y quizás la mayoría de sus esfuerzos nunca llegan a tocar la tierra. Sí, los ángeles ministran a los santos (llegaremos a esto un poco más adelante), pero antes que todo, ministran a Dios.

---

1 Barth, p. 479.

🕊 🕊 🕊

Alabadle, vosotros todos sus ángeles; alabadle, vosotros todos sus ejércitos.

Salmo 148.2

🕊 🕊 🕊

Mortimer Adler escribe:

La acción de los ángeles en la tierra y en relación a los seres humanos se lleva a cabo, sin duda, sólo por *algunos* ángeles, no *todos*, ni siquiera la *mayoría*. Primordialmente, la vida de los ángeles, la de *todos* los ángeles, aun los que llevan mensajes a la humanidad o que tienen misiones terrenales que cumplir, consiste en lo que hacen en los cielos, no en lo que hacen en la tierra.[2]

Esta afirmación quizás sea difícil de probar estadísticamente, pero sabemos que si los ángeles se crearon antes de los seis días de la creación en el Génesis, suponemos que *deben* tener un propósito superior al «trabajo en la tierra». O si no, se trata de un propósito superior, *otros* propósitos. A través de la Biblia a los ángeles se les ve atendiendo y sirviendo a Dios. Son agentes de su voluntad, llenando el cielo con adoración y alabanza:

Y miré, y oí la voz de muchos ángeles alrededor del trono, y de los seres vivientes, y de los ancianos; y su número era millones de millones, que decían a gran voz: El Cordero que fue inmolado es digno de tomar el poder, las riquezas, la sabiduría, la fortaleza, la honra, la gloria y la alabanza.

Apocalipsis 5.11-12

Una mujer de nuestra iglesia me escribió lo siguiente:

Durante mi primer año de vida cristiana tuve una experiencia con ángeles. Había estado alabando y adorando durante varias

---

2 Adler, p. 69.

horas, sin ninguna distracción. Fue una tremenda experiencia. De repente, a mitad de una canción, escuché muchas, muchas voces cantando conmigo. No vi a ningún ángel y no había ninguna música tocando. Eran sólo voces cantando.

Los ángeles ministran a Dios con alabanzas y adoración. Los ángeles ministraron a Jesús también y de igual manera se relacionan con nosotros, quizás podemos sentir la afinidad especial que los ángeles tienen por el Hijo de Dios. Aunque sabemos por las Escrituras que los ángeles no son herederos de la salvación, con toda seguridad deben haber sabido algo de la historia de redención de Dios cuando envió a su Hijo al mundo. Sin duda entendieron algo del solemne y gran propósito por el cual Dios llegó a encarnarse.

Después de todo, mientras que los pastores cuidaban sus rebaños en la noche, ángeles anunciaron el nacimiento del Salvador con un concierto celestial. Y después de la prolongada tentación de Jesús en el desierto, fueron ellos los que le ministraron. Marcos informa en su Evangelio: «Y luego el Espíritu le impulsó al desierto. Y estuvo allí en el desierto cuarenta días, y era tentado por Satanás, y estaba con las fieras; y *los ángeles le servían*» (Marcos 1.12-13, cursivas añadidas).

OCHO TIPOS DE TRABAJO ANGÉLICO

El trabajo principal de los ángeles, decíamos, es en los cielos, ministrando a Dios. El trabajo secundario es en el tiempo y el espacio, una labor que cae al menos dentro de ocho grandes categorías.

Los ángeles son mensajeros. Traen buenas nuevas (véase Lucas 2.10). Como escribí en un capítulo anterior, una función básica de los ángeles es portar mensajes, lo cual implica el mismo significado de los términos bíblicos *malak* y *angelos*: «mensajero». Algunas veces el mensaje es simplemente buenas noticias. Otras es profético, acerca del futuro de alguien, o el futuro del mundo entero.

En los dos primeros capítulos de Apocalipsis, se envían siete «ángeles» a siete iglesias de Asia Menor. Cada uno es portador de un mensaje de aliento y censura, dirigido hacia la situación única de cada una de las iglesias. Los eruditos bíblicos han debatido la identidad de estos ángeles. No está claro si el *angelos* de cada iglesia se refiere a alguna persona profética, al pastor local o a un ángel del cielo en realidad. Puesto que estos ángeles reales juegan este papel tan importante en Apocalipsis, se les puede encontrar en cada capítulo, me inclino a creer que los «ángeles de las siete iglesias» son ángeles. Esto sugeriría que Dios asigna ángeles especiales portadores de mensajes para las iglesias locales.

Sin embargo, no está claro *cómo* comunican sus mensajes a las iglesias. Cada uno de los siete mensajeros de Apocalipsis 2 y 3 termina con la frase: «El que tiene oído, oiga lo que el Espíritu [no el ángel] dice a las iglesias». El Espíritu de Dios habla. Él es la fuente del mensaje. Los ángeles, después, llevan el mensaje y se proclama, quizás, por el líder de la iglesia local o por las personas espiritualmente sensitivas de cada iglesia.

Creo, en parte por mi experiencia (se han aparecido ángeles cuando predico), que las personas que tienen posiciones de liderazgo en la iglesia (apóstoles, profetas, evangelistas, pastores, maestros, ancianos y otros) son objeto de una presencia angélica especial, fundamentalmente cuando hacen el trabajo del ministerio. No puedo «probar» esto con las Escrituras, pero si el Cuerpo de Cristo es la expresión del poder del Reino de Dios en la tierra[3], se supone que la presencia y el poder angélico están aliados con la autoridad de la Iglesia. Los poderes de Dios y angélico están con nosotros en la medida que estemos por Cristo y el avance de los propósitos de su Reino en la tierra.

Debo añadir, por supuesto, que la autoridad de Dios, incluyendo al apoyo de sus ángeles, está relacionada con líderes humanos únicamente en la medida que dichos líderes hacen la voluntad de Dios. En otras palabras, tarde o temprano Dios quitará el poder angélico, su protección y bendiciones de quienes adulteran su llamamiento.

Efesios 1.18 y 3.10.

En otro ejemplo de ángeles mensajeros, Gabriel aparece dos veces en Lucas 1, primero al sacerdote judío Zacarías, con una larga profecía acerca del sorprendente nacimiento de su hijo, Juan el Bautista; y más tarde a María, acerca del todavía más sorprendente nacimiento de su hijo, Jesús (Lucas 1.5-25, 26-38). Y en un papel un tanto distinto, ángeles heraldos (algunos mensajes son más parecidos a anuncios) tocarán la trompeta de la Segunda Venida de Cristo:

> Porque el Señor mismo con voz de mando, con voz de arcángel, y con trompeta de Dios, descenderá del cielo; y los muertos en Cristo resucitarán primero. Luego nosotros los que vivimos, los que hayamos quedado, seremos arrebatados juntamente con ellos en las nubes para recibir al Señor en el aire.
>
> **1 Tesalonicenses 4.16-17**

Los «vivos y los muertos» escucharán la voz de arcángel. También los ángeles se personaron para anunciar la resurrección de Cristo:

> Mas el ángel, respondiendo, dijo a las mujeres: No temáis vosotras; porque yo sé que buscáis a Jesús, el que fue crucificado. No está aquí, pues ha resucitado, como dijo. Venid, ved el lugar donde fue puesto el Señor.
>
> **Mateo 28.5-7**

El ángel anunció la resurrección, pero hay más. Tenemos una orden directa: «E id pronto y decid a sus discípulos que ha resucitado de los muertos».

En los primeros años de la vida de Jesús, durante su infancia, un ángel apareció a José en sueños, instruyéndole que huyera con María y el niño a Egipto. «Herodes», dijo el ángel, «buscará al niño para matarlo» (Mateo 2.13).

Probablemente cada mensaje angélico contiene alguna forma de dirección, pero algunos mensajes son más específicos, como los ilustran los versículos de la Biblia arriba mencionados. Sin embargo, siempre es importante recordar que, cualquier forma que tome la dirección espiritual, aun si viene de un ángel, debe ser cuidadosamente sometida a las Escrituras y a sabio consejo antes de hacer cualquier cambio serio de vida. Esto es en particular crucial cuando nuestras decisiones afectan a otros. Nunca debemos olvidar que hay ángeles buenos que nos guían, mientras que existen ángeles malos que disfrutan con sacarnos del camino.

Wendy Reece me contó su historia de la buena dirección que un ángel bueno le ofreció.

Cuando tenía dieciséis años, mi hermana y yo compartíamos el mismo dormitorio. Una día, a medianoche, después que las dos nos habíamos quedado dormidas, una luz brillante me despertó abruptamente. Creí que alguien había prendido la luz de la habitación. Vi a mi hermana dormida en su cama al otro lado del cuarto... con su espalda vuelta hacia mí.

De repente, vi a un «ser» o persona parada frente a mí. Su espalda estaba en dirección a mi hermana. Era bastante alto y vestía una túnica color marfil. No recuerdo haber visto su cara de cerca, porque le veía hacia arriba. Lo que recuerdo de esa cara es que me trajo a la mente algunas pinturas vistas de Jesús: pelo largo, castaño y barbado.

Miré hacia donde estaba mi hermana, pero seguía dormida. Recuerdo que me sentía calmada y me preguntaba si sólo estaba teniendo un sueño muy vívido. Sin embargo, sabía que estaba despierta. Este ángel, esta visión, o lo que fuera, no duró mucho, pero me habló brevemente. No recuerdo ninguna palabra con exactitud, pero me dijo que en algún momento, en mis veintes, viviría una terrible tragedia. *Pero*... quería que supiera que Jesús estaría ahí conmigo. Con ese pequeño mensaje, luego desapareció. Y la luz en el cuarto se fue.

Cuando me desperté a la mañana siguiente, estaba segura de que sólo había tenido un sueño muy vívido y nunca le dije a nadie nada al respecto. Naturalmente, me preocupó, pero no pensé en ello por varios años.

Sin embargo, en febrero de 1987, unos diez años más tarde (tenía veintisiete años y estaba en la Fuerza Aérea en Alemania), mi hermano me llamó a medianoche para decirme que mi papá, de cuarenta y ocho años, acababa de morir de un ataque al corazón.

Volé para Ohio a casa para el funeral y después de un tiempo muy difícil, regresé a Alemania. Mi madre me visitó ese verano. Estaba muy deprimida. No sabía cómo lidiar con su pena ni con la mía. Como ven, aun y cuando había visto un ángel, no era cristiana en ese tiempo.

Dos semanas después que mi madre regresó a Estados Unidos, recibí otra llamada. Esta vez se trataba de mi madre. Tal y como le sucedió a mi padre, murió de un ataque al corazón a la edad de cuarenta y ocho años. Y después, ese otoño, mi esposo me abandonó.

Antes de pedirle a Cristo que viniera a mi vida, con frecuencia me solía tirar en mi cama a llorar y a clamar una y otra vez: «Jesús, ayúdame», mientras me aferraba a un crucifijo que llevaba en el cuello. No sabía en realidad cómo podía abrir mi vida a Jesús y cómo el Espíritu Santo podía cambiar mi interior.

Pero el Espíritu escuchó mis desesperados ruegos. No fue un accidente que me reencontrara con una amiga cercana que se había hecho cristiana después de la última vez que estuvimos juntas. No puedo encontrar palabras para describir cuán maravillosamente me ayudó con sus oraciones y su amoroso apoyo. Me llevó a un estudio bíblico de avivamiento de mujeres en donde acepté a Jesús como mi Salvador personal.

Mientras oraba con otros cristianos, me acordé del ángel que se me apareció cuando tenía dieciséis años, y me di cuenta de que lo que se me dijo fue cierto: Enfrentaría un tiempo terrible en mis veintes, pero Jesús estaría conmigo y jamás me dejaría ni me desampararía.

Los ángeles son portadores de Dios. Segundo, los ángeles hacen más que llevar mensajes. Traen algo de la presencia de Dios con ellos. Los ángeles no sólo intimidan porque son seres espirituales sorprendentes. La gente cae de rodillas delante de ellos porque vienen directamente de la presencia de Dios. Toqué este punto antes en el libro, cuando discutí la gloria de Dios que se le impregna a los ángeles y a las personas que están cerca de Dios. Los mensajes de los ángeles son mucho más que simples pedacitos o piezas de información divina lanzados como volantes de propaganda por los aviadores celestiales. Los mensajes de los ángeles palpitan con la presencia de Dios. Son seres de luz y sus mensajes brillan con Dios. Algunas veces ni siquiera tienen que decir nada, pues su sola presencia comunica claramente el amor y la protección de Dios.

Los ángeles traen respuesta a la oración. Una tercera categoría del trabajo angélico, muy relacionada con las dos primeras, es que los ángeles de alguna manera asisten a Dios en contestar nuestras oraciones. El Señor, por supuesto, se lleva todo el crédito y la gloria, pero los ángeles misteriosamente ayudan en el proceso. La milagrosa liberación de Pedro de la cárcel es un caso típico. Estaba en prisión por negarse a dejar de predicar a la comunidad judía acerca de Jesús. A medianoche, un ángel entró en la prisión romana y escoltó a Pedro, para su asombro, fuera de la celda hasta las calles desiertas de Jerusalén.

Pedro se seguía pellizcando después que el ángel desapareció en la noche. Más tarde, nos damos cuenta en la historia que todo esto es el resultado directo de la ferviente oración de la iglesia primitiva. Cuando la realidad de su escape fue clara para Pedro, «llegó a casa de María la madre de Juan, el que tenía por sobrenombre Marcos, donde muchos estaban reunidos orando» (Hechos 12.12). Sólo podían haber estado orando por un cosa: la seguridad y liberación de Pedro. Y un ángel fue quien se las ingenió. Algunas veces los ángeles traen respuestas a la oración. Otras, *son* la respuesta.

Los ángeles proveen protección y liberación. Llevar los recados de Dios, en todo caso, no es su única labor de amor. Los ángeles nos protegen, intervienen a nuestro favor y nos libran de situaciones peligrosas. La porción mejor conocida al respecto es el Salmo 91.11: «Pues a sus ángeles mandará acerca de ti, que te guarden en todos tus caminos». En el familiar relato de Daniel en el pozo de los leones, el rey lo llama con voz angustiada: «Daniel, siervo del Dios viviente, el Dios tuyo, a quien tú continuamente sirves, ¿te ha podido librar de los leones?»

Daniel respondió: «Oh rey, vive para siempre. Mi Dios envió su ángel, el cual cerró la boca de los leones, para que no me hiciesen daño, porque ante Él fui hallado inocente» (Daniel 6.20-22).

Un capítulo entero respecto a ángeles guardianes, con varias experiencias personales fabulosas, les aguarda más adelante.

Los ángeles distribuyen provisión sobrenatural. En varias ocasiones, en la Biblia, los ángeles proveen para las necesidades físicas de la gente en situaciones urgentes. En Génesis 21, Sara, en un arranque de celos, hizo que Agar su criada, quien además era la concubina de Abraham, fuera echada de la casa. A Agar se le dieron provisiones y se le despidió sin rumbo. Cuando el agua de su odre se le terminó, puso a su pequeño hijo Ismael bajo un arbusto.

Y se fue y se sentó enfrente, a distancia de un tiro de arco; porque decía: No veré cuando el muchacho muera. Y cuando ella se sentó enfrente, el muchacho alzó su voz y lloró.

Y oyó Dios la voz del muchacho; y el ángel de Dios llamó a Agar desde el cielo, y le dijo: ¿Qué tienes, Agar? No temas; porque Dios ha oído la voz del muchacho en donde está. Levántate, alza al muchacho, y sosténlo con tu mano, porque yo haré de él una gran nación.

Entonces Dios le abrió los ojos, y vio una fuente de agua; y fue y llenó el odre de agua, y dio de beber al muchacho.

Génesis 21.16-19

Dios salvó la vida de Ismael... y el futuro del pueblo árabe.

En otro pasaje de la Biblia (1 Reyes 19.1-18), el audaz profeta Elías, después de destruir personalmente a cuatrocientos cincuenta profetas del dios pagano Baal[4], huyó como un cobarde de la malévola e idólatra Jezabel.

«Elías tenía miedo», la Biblia nos lo dice en una velada frase, porque nos aclara que «se fue para salvar su vida». Después de casi un día de andar corriendo, Elías se sentó debajo de un enebro y oró deseando la muerte. «Basta ya, oh Jehová, quítame la vida», clamó, mientras que se quedaba dormido en su depresión.

Inmediatamente, nos dice la Biblia, un ángel apareció, lo tocó y le dijo: «Levántate, come». Elías miró a su alrededor «y he

---

4 Este no es un buen modelo para relacionarse con personas que tienen diferentes opiniones religiosas. La enseñanza de Jesús en el Nuevo Testamento ha reestructurado la forma de relacionarnos con nuestros enemigos.

aquí a su cabecera una torta cocida sobre las ascuas, y una vasija de agua». Cuando se quedó dormido la segunda vez, el ángel le instó de nuevo diciendo: «Levántate y come, porque largo camino te resta». Así que Elías hizo lo que el ángel le mandó y sobrevivió cuarenta días con el agua y el pan del cielo.

Algunas veces los ángeles traen mensajes. Otras, traen comida. Al pastor del ministerio hispano de nuestra iglesia, Héctor Torres, se le apareció un ángel que le dijo cómo componer su vehículo.

Durante el verano de 1982, viajé con toda mi familia a Colombia, mi tierra natal. Éramos dieciséis, incluyendo padres, hermanos y nietos. Un día decidimos visitar las ruinas arqueológicas de San Agustín, en la parte suroeste de Colombia, casi a cuatrocientas millas de nuestro hogar en Bogotá.

Ya entrada la tarde, después de horas de manejar en una zona montañosa desolada, el automóvil que manejaba repentinamente perdió poder y el motor murió en un débil estruendo. Lo primero que vino a mi mente fue que nos habíamos quedado sin gasolina, pero la aguja del combustible mostraba que teníamos todavía más de medio tanque.

Revisando bajo el capó, no pudimos encontrar nada anormal. Ahí estábamos. En medio de quién sabe dónde, en un lugar totalmente desierto. Y se acercaba la noche. Mi hermano Gabriel y yo unimos nuestras manos en oración y comenzamos a pedir la intervención de Dios. Oramos con fe que Dios no nos abandonara, que nos diera ayuda en este momento de necesidad.

Tan pronto como terminamos de orar, no sabemos de dónde, un Jeep con dos pasajeros se acercó hasta nosotros y paró para ayudarnos. Al escuchar nuestra historia, uno de los hombres me dijo: «Asómese debajo del tanque de la gasolina y reconecte la manguera del combustible».

Fue casi como Jesús diciéndole a Pedro que echara sus redes al otro lado de la barca. Me incliné debajo de nuestro automóvil y, con toda seguridad, la manguera del combustible estaba desconectada. De alguna manera, esta «persona» supo qué andaba mal, sin siquiera mirar.

Rápidamente conecté la manguera del combustible y el automóvil encendió sin ningún problema. Mientras lo hacía, los dos hombres que se detuvieron para ayudarnos se habían montado en su Jeep y se habían ido.

Lo interesante de esto es que, desde ciertos puntos ventajosos a lo largo de ese camino montañoso, las luces de otros vehículos pueden verse a varias millas. Sin embargo, ninguno distinguió las luces de algún vehículo por los alrededores durante las dos horas siguientes. En realidad, tratamos de conducir tan rápido como pudimos en un intento de alcanzar a quienes nos ayudaron. Pero no les volvimos a ver. Simplemente desaparecieron en la noche.

Cuando llegamos al siguiente pueblo, un par de horas después del incidente, buscamos a los hombres y a su vehículo, y le preguntamos a la gente del pueblo. Pero nadie los había visto. Mi hermano y yo creemos que nos visitaron ángeles.

Los ángeles son espíritus ministradores, pastores celestiales. Una sexta tarea que tienen los ángeles es la ministración de consuelo y misericordia. Es probable que la parte de la Escritura más conocida en relación a esto sea Hebreos 1.14: «¿No son todos espíritus ministradores, enviados para servicio a favor de los que serán herederos de la salvación?» La palabra griega usada para «ministradores», una palabra de la cual obtenemos el término «liturgia» en español, se refiere al servicio, especialmente al servicio sagrado, el servicio a Dios. Los «ángeles ministradores» se envían para «servir» a los santos. En el servicio a Dios los ángeles sirven al pueblo de Dios. Quizás podamos decir que «ministrar a» significa simplemente cuidar de o preocuparse por. Los ángeles se preocupan por nosotros de acuerdo a nuestras necesidades. Son casi como pastores celestiales.

ɝ ɝ ɝ

La vista del cielo está en la tierra y en el mar,
Y algo en esta celeste pálida luz
Ha desatado de mí el yugo de las preocupaciones.
Grace Noll Crowell[5]

ɝ ɝ ɝ

---

5   Como se cita en *Angels Among Us* [Ángeles entre nosotros], Guideposts Associates, Carmel, NY, 1993, p. 62.

Los ángeles traen buenas noticias y útil dirección, pero como mencioné con anterioridad en este capítulo, lo que dicen no es tan significativo sino cómo lo dicen. Los mensajes de ángeles están impregnados de la presencia de Dios, y la presencia real de Dios trae verdadera paz. «Que el Señor te bendiga y te guarde», dice la antigua bendición. «Que el Señor haga brillar su rostro, su presencia inmediata, sobre ti y tenga de ti misericordia. Que el Señor ponga su semblante, su presencia radiante, sobre ti. Y te dé paz» (Números 6.24-26, paráfrasis mía).

La palabra «paz» en hebreo es, por supuesto, *shalom*, un término muy poderoso que lleva implícito la idea de todo lo que la presencia de Dios puede posiblemente significar para nosotros. Es más, para los hebreos, *shalom* es la palabra que describe la totalidad del reino mesiánico. El milenio es *shalom*. *Shalom* es el cielo.

El cielo se acerca a las personas, y a sus seres amados, cuando están en el lecho de muerte. No es raro para los ángeles aparecer cuando la gente está al borde de la muerte y los que han tenido experiencias en el umbral de la muerte a menudo describen sentimientos de paz indescriptible. Ángeles. La presencia de Dios. *Shalom*.

LeeAnn Rawlins me contó su experiencia del maravilloso consuelo que un ángel le diera en la muerte de su primer esposo:

Sucedió en la mañana en que mi primer esposo, Willard, murió. No lo sabía en ese momento, pero la muerte estaba a punto de terminar con nuestro matrimonio de veintitrés años.

Willard había estado sufriendo una enfermedad terminal y estábamos solos, pero juntos en nuestro cuarto familiar. Con angustia, mi esposo se quejó diciendo: «Me duele». En ese preciso momento, sin ningún aviso, Willard se fue a estar con el Señor.

Fue una experiencia poco común, porque en ese triste, muy triste momento, sentí una asombrosa y confortante presencia entrar en el cuarto, al mismo momento que el espíritu de mi esposo se iba. No «vi» un ángel, pero su presencia era inconfundible. De una manera maravillosa ese mismo ángel permaneció cerca de mí y estuvo a mi lado y me consoló a menudo durante esos terribles años que siguieron a la muerte de Willard.

Los ángeles ministraron paz a Jesús después de la horrible tentación en el desierto (Marcos 1.13). Y bajo circunstancias muy similares, un ángel ministró consuelo y fortaleza al profeta Daniel, quien durante tres semanas se mantuvo en lucha espiritual orando por la liberación de Israel del exilio en Babilonia y del alejamiento de Jehová. «No comí manjar delicado», informó Daniel. «Ni entró en mi boca carne ni vino, ni me ungí con ungüento, hasta que se cumplieron las tres semanas».

Al final de su ayuno, un gran ángel apareció. Debo aclarar que la Biblia no sugiere que el ayuno de Daniel *ocasionó* que el ángel apareciera. Los ángeles no están obligados a aparecerse ante nosotros, no importa cuán espirituales seamos. Pero en este caso, Daniel estaba ocupado peleando en oración para que los propósitos de Dios se cumplieran en la tierra. Parado al margen del río Tigris en Babilonia, Daniel levantó la vista y ante él estaba «un varón vestido de lino, y ceñidos sus lomos de oro de Ufaz. Su cuerpo era como de berilo, y su rostro parecía un relámpago, y sus ojos como antorchas de fuego, y sus brazos y sus pies como de color de bronce bruñido, y el sonido de sus palabras como el estruendo de una multitud» (Daniel 10.1ss).

El ángel hablaba muy alto. También era extraordinariamente poderoso. Su mano tocó a Daniel y, como este lo dice: «hizo que me pusiese sobre mis rodillas y sobre las palmas de mis manos». Daniel estaba en el vórtice de los poderes del cielo y del infierno, girando en un momento de convergencia de tiempo y eternidad.

La lucha espiritual es un infierno, atormenta el alma y agota el cuerpo: «Porque no tenemos lucha [la analogía es muy apropiada] contra sangre y carne, sino contra principados, contra potestades[...] de las tinieblas (Efesios 6.12).

Daniel escribió:

Señor mío, con la visión me han sobrevenido dolores, y no me queda fuerza. ¿Cómo, pues, podrá el siervo de mi señor hablar con mis señor? Porque al instante me faltó la fuerza, y no me quedó aliento.

Y aquel que tenía semejanza de hombre me tocó otra vez, y me fortaleció, y me dijo: Muy amado, no temas; la paz [*Shalom*] sea contigo; esfuérzate y aliéntate.

Daniel 10.16-19

El ángel ministró a Daniel. Le dio fuerzas. Le dio paz. Gregorio de Nisa escribió: «El Señor de los Ángeles procura vida y paz a través de los ángeles para quienes son dignos».[6]

Los ángeles ayudan a Dios a forjar la historia. Los ángeles son guardianes de las naciones. La idea de los ángeles sobre las ciudades y los territorios geográficos se ha vuelto a introducir recientemente en la Iglesia, si bien la idea de los espíritus regionales es tan antigua como la Biblia. Juan Calvino escribió:

> Cuando Daniel introduce al ángel de los persas y al ángel de los griegos (Daniel 10.12-13), sin duda sugiere que ciertos ángeles se designan con cierta primacía sobre los reinos y las provincias.[7]

En mi libro sobre batallas espirituales, *Overcoming the Dominion of Darkness*, defino a los malos espíritus territoriales como «la jerarquía de seres de las tinieblas que Satanás asigna estratégicamente para influir y controlar naciones, comunidades y aun hasta familias. Un sistema de niveles múltiples de seres espirituales nos sugiere Efesios 6.12».[8]

El reciente avivamiento del interés en luchas espirituales ha redescubierto la realidad de la dimensión espiritual y de los principados y las potestades del bien y el mal que se inmiscuyen con acontecimientos aquí en la tierra. Los ángeles de las tinieblas y la luz, influyen en gobiernos, economías y cultura, y ayudan a forjar la historia humana. C. Fred Dickason escribe: «Detrás de la escena humana, los ángeles ejercen con afán influencia y se ocupan en batallas. Individual o colectivamente, pueden guiar los gobiernos de la tierra».[9]

En una de las primeras historias de la Iglesia encontré el relato poco común que viene a continuación. A Eusebio, a menudo conocido como el padre de la historia de la Iglesia, lo estudió y siguió un historiador cristiano desconocido y que obedece al du-

---

6 Según cita Jean Danielou, *The Angels and Their Mission: According to the Fathers of the Church* [Los ángeles y su misión: de acuerdo a los padres de la iglesia], Christian Classics, Inc., Westminster, Md, 1976, p. 75.
7 Juan Calvino, *Calvin's Institutes* [Las instituciones de Calvino], Associated Publishers, Grand Rapids, MI, p. 77.
8 Gary D. Kinnaman, *Venciendo el dominio de las tinieblas*, CLIE, Ft. Lauderdale, FL (p. 54 del original en inglés).
9 Dickason, *Angels*, p. 92.

doso nombre de Sócrates. En su *Historia eclesiástica*, informa de una visión inusual de ángeles durante un tiempo de difíciles relaciones entre Constantinopla, la capital de la civilización cristiana, y los persas. Sócrates escribió:

> En el tiempo en que los constantinopolitanos estaban en gran consternación y aprehensión respecto al asunto de la guerra, ángeles de Dios aparecieron a algunas personas en Bitinia que viajaban a Constantinopla por asuntos personales, y les ordenaron que dijeran a las personas que no se alarmaran, sino que oraran a Dios y que estuvieran seguros de que los romanos [o sea, la gente del Santo Imperio Romano, radicado en Constantinopla] serían conquistadores. Pues dijeron que Dios los nombró para defenderlos. Cuando este mensaje circuló, no sólo fue de consuelo para los residentes de la ciudad, sino que les dio a los soldados más valentía.[10]

Un incidente similar me relataron cuando visité Rusia recientemente. Los rusos tienen una historia brutal de invasión y ocupación, y las catedrales ortodoxas orientales se usaron como fortalezas de refugio ante las crueles hordas tártaras. Durante una visita a una de esas magníficas y valiosas catedrales, que tienen cada pulgada cuadrada de sus paredes pintadas con frescos brillantes y bañados en oro, pensé para mis adentros: «Esta catedral es diez veces más asombrosa que mi vida personal de oración. Con razón la gente se siente atraída a esto».

Ignorantemente y quizás de manera insensible, le comenté a nuestro interprete ruso: «Este lugar es magnífico. No es extraño que estos elevados arcos hayan venido a sustituir una relación personal con Dios».

Con lágrimas brotando de sus ojos, Kathy me respondió cortésmente: «Sí», me dijo, «entiendo la importancia de una relación personal con Dios». Era una cristiana nacida de nuevo. «Pero estas catedrales son el alma de Rusia. La iglesia nos trajo edu-

---

10 Philip Schaff y Henry Wace, eds., *A Select Library of Nicene and Post-Nicene Fathers of the Christian Church*, series 2 [Una biblioteca selecta nicena y posnicena de los padres de la iglesia cristiana, serie 2], Eerdmans, Grand Rapids, MI, 1983, vol. 2, p. 162.

cación y cultura. Y estos edificios, estos grandiosos edificios, salvaron incontables vidas rusas. La gente se amontonaba dentro de lugares como este, se paraban hombro con hombro, algunas veces durante días, mientras que los invasores tártaros quemaban y saqueaban nuestras ciudades. Los invasores no se atrevían, sin embargo, a dañar a nuestra gente refugiada en nuestras catedrales. Los invasores temían la venganza de Dios si dañaban una iglesia o a alguien que estuviera dentro».

Más tarde, otro intérprete, también una cristiana y estudiante de historia ortodoxa, me dijo un poco más de la angélica protección durante aquellos horribles días. En una ocasión, me dijo con orgullo, los tártaros se retiraron salvajemente de una ciudad rusa cuando vieron un enorme ángel flotando sobre la catedral central.

El mismo tipo de cosas sucedieron en la Biblia. En un pasaje del Antiguo Testamento, al que me referí antes en este libro, el rey de Siria fue en busca de su adversario Eliseo, que se escondía en el pueblo de Dotán. El rey sitió la ciudad y al parecer Eliseo no tenía forma de escapar a la captura y la muerte. Pero Dios estaba con él. Y también los ángeles. «No tengas miedo», le dijo el profeta a su sirviente, «porque más son los que están con nosotros que los que están con ellos». Luego el Señor abrió los ojos del sirviente y vio que el monte estaba lleno de gente de a caballo y de carros de fuego (ángeles, suponemos) que rodeaban a Eliseo (2 Reyes 6.13-17).

Ángeles liberaron y protegieron a Eliseo. Los ángeles son guardianes de los pueblos, ciudades y naciones. Dios prometió a Israel al inicio de su historia: «He aquí yo envío mi Ángel delante de ti para que te guarde en el camino, y te introduzca en el lugar que yo he preparado» (Éxodo 23.20). Y en Daniel 12.1 leemos acerca de Miguel, un gran ángel a quien se le asignó la tarea de proteger al pueblo de Israel.

Algunos podrían argumentar que estos ángeles no han hecho un trabajo muy bueno, porque millones de judíos han perdido sus vidas en penosos baños de sangre, algunos en nombre de la cristiandad. Pero el lado bueno es que los hebreos han logrado algo sin paralelo en la historia de la humanidad. Han mantenido su identidad como pueblo durante casi más de dos mil años.

Sin barreras nacionales y aun sin una región general, un pedazo de tierra que puedan llamar su hogar. Dios siempre ha tenido un plan especial para Israel y Él ha despachado ángeles como Gabriel para asegurarse de que este plan no fracase.

Por cierto, Dios tiene planes especiales para *cada* nación y los ángeles están en esos planes también. Basilea Schlink, cuyos profundos libros espirituales se han vendido por millones, escribió: «De las alusiones hechas en las Sagradas Escrituras podemos inferir que Dios ha dividido el vasto territorio de su Reino en provincias, las cuales ha confiado a exaltados príncipes angélicos y sus dominios y áreas de administración».[11]

En el último libro de la Biblia, Apocalipsis, a pesar de que no se mencionan ángeles específicos gobernando regiones determinadas, los ángeles, no obstante, están con frecuencia conectados con áreas geográficas. En Apocalipsis 7.1, por ejemplo, Juan vio ángeles parados a los cuatro extremos de la tierra, y en 9.14 hay cuatro ángeles que de algún modo están confinados a las vecindades del río Éufrates.

Daniel 4 es uno de los mejores ejemplos bíblicos de intervención angélica en la historia humana. Nabucodonosor, rey de Babilonia, estaba pasando por un tiempo difícil. «Vi en las visiones de mi cabeza mientras estaba en mi cama, que he aquí un vigilante y santo descendía del cielo. Y clamaba fuertemente y decía así: Derribad el árbol, y cortad sus ramas, quitadle el follaje, y dispersad su fruto; váyanse las bestias que están debajo de él, y las aves de sus ramas» (Daniel 4.13-14).

El árbol era un símbolo de las glorias pasadas de Nabucodonosor y de su frágil futuro. Estaba a sólo un paso de perderlo todo a causa de su orgullo. Dios estaba a punto de humillarlo con locura extrema, a fin de salvar a él y su reino. ¿Quién cortaba el árbol? Dios, aunque el sueño no nos dice eso específicamente. Pero nosotros sin duda sabemos quién dio la orden: «un santo», *un ángel*.

Los ángeles ayudan a Dios a forjar la historia. C. Fred Dickason escribe: «Tras la escena humana, los ángeles afanosamente

---

11 Basilea Schlink, *The Unseen World of Angels and Demons* [El mundo incógnito de los ángeles y los demonios], Fleming Revell, Old Tappan, NJ, 1985, p. 81.

ejercen influencia y se involucran en la batalla. Individual o de manera colectiva pueden guiar los gobiernos de la tierra».[12]

Los ángeles también pueden ser al menos parcialmente responsables de algunos desastres naturales. La aparición de ángeles en la tumba vacía la acompañó un terremoto (Mateo 28.2), y en Apocalipsis las apariciones de ángeles las preceden constantemente cataclismos en la tierra. En 7.1, por ejemplo, se les da poder a los ángeles sobre el clima, cuando se les ordena que detengan «los cuatro vientos de la tierra, para que no soplase viento alguno sobre la tierra, ni sobre el mar, ni sobre ningún árbol». Este es el silencio ensordecedor antes de la enorme tormenta del juicio de Dios.

Y cuando venga el juicio: «El séptimo ángel derramó su copa por el aire; y salió una gran voz del templo del cielo, del trono, diciendo: Hecho está. Entonces hubo relámpagos y voces y truenos, y un gran temblor de tierra, un terremoto tan grande, cual no lo hubo jamás» (Apocalipsis 16.17-18). Ahora bien, la Biblia no nos dice aquí que los ángeles *ocasionaron* estos fenómenos, pero de alguna manera están en medio de ellos. Participan con Dios, influyen en los hechos «naturales» y dan forma a la historia.

Los ángeles buenos traen malas noticias. Finalmente, los ángeles juegan un importante papel en llevar el juicio de Dios, especialmente en los últimos días y al final del mundo. No todos los ángeles buenos traen buenas noticias. No es que estén enojados. Sólo hacen su trabajo. Dios es el juez y sus ángeles son los ejecutores. Es más, el papel de los ángeles en la administración del juicio de Dios está en segundo lugar, el primero es que son mensajeros. La Biblia contiene docenas de referencias de ángeles de juicio, incluso de muerte que se les asigna la tarea de quitar la vida de un individuo réprobo...

Y un día señalado, Herodes, vestido de ropas reales, se sentó en el tribunal y les arengó. Y el pueblo aclamaba gritando: ¡Voz de

---

12 Dickason, *Angels*, p. 92.

Dios, y no de hombre! Al momento un ángel del Señor le hirió, por cuanto no dio la gloria a Dios; y expiró comido de gusanos.[13]

... hasta los ángeles de la ira de Dios, responsables del castigo de un vasto número de personas:

El tercer ángel tocó la trompeta, y cayó del cielo una gran estrella, ardiendo como una antorcha, y cayó sobre la tercera parte de los ríos, y sobre las fuentes de las aguas. Y el nombre de la estrella es Ajenjo. Y la tercera parte de las aguas se convirtió en ajenjo; y muchos hombres murieron a causa de esas aguas, porque se hicieron amargas.

Apocalipsis 8.10-11

Los ángeles hacen que uno se quiera esconder. Algunas veces hasta hacen que uno se quiera morir. Y otras lo que hacen es causarnos la muerte. Los ángeles buenos siempre siguen al pie de la letra su tarea de hacer la voluntad de Dios; eso es lo que hace que sean buenos, a pesar de que hacen las peores cosas que podamos imaginar: como prender fuego a la tierra (Apocalipsis 8.8) o matar a los primogénitos de los egipcios (Éxodo 12.23).

Pablo escribió a los corintios: «Ni murmuréis, como algunos de ellos murmuraron, y perecieron por el destructor» (1 Corintios 10.10). Los ángeles buenos no siempre son inofensivos y sonrientes querubines, como los adornos de los árboles navideños, así como tampoco Dios es una inmensa bola de amor cósmico.

Hay un orden divinamente establecido en el universo y cuando se viola, hay un precio que pagar. «Uno solo es el dador de la ley», escribe Santiago, «que puede salvar y perder» (Santiago 4.12).

Pablo escribió: «No os engañéis; Dios no puede ser burlado: pues todo lo que el hombre sembrare, eso también segará. Porque el que siembra para su carne, de la carne segará corrupción; mas el que siembra para el Espíritu, del Espíritu segará vida eterna» (Gálatas 6.7-8).

---

13 Hechos 12.21-23. Lucas, sin duda, narró este hecho para advertir a los líderes romanos. Cuando se escribió el libro de Hechos, el emperador romano, César, se autoconsideraba como Dios, o al menos un dios. Además, esperaba que el pueblo del Imperio Romano lo reconociera como tal. El mensaje de Lucas es que Dios no tolerará esa clase de pensamiento y considerarse a uno mismo como divino, o cercano a ello, es propiciar una visita del ángel de la muerte.

En este texto no se mencionan a los ángeles, pero es claro que participan en ambas: las bendiciones y las maldiciones. Es importante que entendamos esto porque también existe una tenebrosa legión de ángeles de la Nueva Era, ángeles tan habilidosos en engañar que le pueden llevar a creer que Dios está siempre de su parte, sin importar lo que haga. Hasta pueden engañarle en creer que el *ángel* es Dios. Si eso sucede, verá con estremecimiento y angustia como su futuro se incinerará en el juicio candente del desagrado de Dios.

¿Han escuchado la frase promocional de la campaña antidesperdicios del estado de la Estrella Solitaria? *Don't mess with Texas!* [No busques líos con Texas]. Bueno, pues meterse con Texas no es nada comparable a buscarse un lío con Dios y sus ángeles. Ni andar merodeando con ángeles de las tinieblas de incógnito.

ALGUNAS COSAS QUE LOS ÁNGELES BUENOS NO HACEN

Y para terminar este capítulo, respecto a lo que los ángeles buenos realizan como oficio, puede ser útil decir algunas cosas que los ángeles *no* hacen, o más precisamente, lo que los ángeles *buenos* no hacen. Si un ángel se *ve* bueno y hace cualquiera de las cosas siguientes, *no* es bueno. Es un ángel de las tinieblas que está de incógnito.

Los ángeles buenos nunca tratan de cambiar las Escrituras. Los mensajes de los ángeles buenos *nunca* reemplazan ni contradicen la Biblia. Si lo hacen, son mensajes de engaño. Es cierto que los ángeles dieron porciones importantes de la revelación bíblica: el libro completo de Apocalipsis, por ejemplo, es quizás el resultado de un mensaje angélico. Juan nos dice que: «Jesucristo[...] la declaró enviándola por medio de su ángel a su siervo Juan» (Apocalipsis 1.1).

Aun así, el libro mismo pronuncia una maldición sobre cualquiera que añada o quite algo de las palabras del libro (Apocalipsis 22.18-19). Esto indica claramente que las subsiguientes revelaciones deberán someterse siempre a la autoridad bíblica. Hoy en día, Dios continúa guiándonos, hablándonos, para darnos un entendimiento más profundo de sí mismo y sus caminos, pero Él ha terminado de añadir cosas a la Biblia.

Los ángeles buenos rehúsan la adoración. ¿Respetados? Sí. ¿Adorados como Dios? Jamás. Desde los inicios de la historia de la iglesia, Orígenes escribió: «Hemos encontrado que debido a que [los ángeles] son divinos, a veces se les llama dios en las Sagradas Escrituras, pero no para ordenarnos a que honremos y adoremos, en lugar de Dios, a los que nos ministran y nos traen las bendiciones de Dios».[14]

Tampoco los ángeles son objetos de oración. Los ángeles pueden ayudar a Dios a responder a las oraciones, pero la Biblia jamás sugiere que dirijamos nuestra intercesión hacia ningún otro ser celestial que no sea Dios. Los ángeles buenos nunca llaman la atención hacia ellos. Sin duda atraen nuestra atención, pero lo hacen por causa de Dios, no para ellos.

En el gran esquema de las cosas, los ángeles están emplazados en algún lugar entre Dios y los seres humanos, pero esto no significa que sean intermediarios. Mi secretaria personal, a veces, habla por mí. Es mi «mensajera» ante el personal de la iglesia y la congregación. En ese sentido, está «entre» otros ministros y yo, pero en ningún sentido está «sobre» ellos. Tiene autoridad como mi representante, pero su posición no es más alta en la cadena de mando de nuestra organización que la de otras personas que trabajan para mí.

No hay ninguna persona en la Biblia que inicie conversación con un ángel. La gente habla con los ángeles, pero los ángeles siempre hablan primero. Los ángeles de la Nueva Era, ángeles de las tinieblas, son diferentes. La gente puede hablar con ellos como si le hablaran a algún amigo por teléfono; los ángeles están esperando a que le pida algo para servirle. Los autores de *Ask You Angels* [Pregúntale a tus ángeles], por ejemplo, nos dicen contundentemente: «La gente en nuestros talleres [de ángeles] se maravilla de lo fácil que es hablar con sus ángeles[...] Ahora

---

14 A. Cleveland Coxe, ed., *The Ante-Nicene Fathers: Translations of the Writings of the Fathers down to A.D. 325* [Los padres antenicenos: Traducciones de escritos de los padres hasta el año 325 d.C.], Eerdmans, Grand Rapids, MI, 1951, vol. 4, p. 544.

que dominas los tres primeros pasos [algo que llaman asentando, liberando y alineando] en cómo franquearte con tu ángel, estás preparado para hablar directamente a tu amigo celestial». Su ángel personal está a su lado para ayudarle.

Los ángeles buenos están a su lado, también. Probablemente lo estén en este mismo instante en que lee este libro. Pero los ángeles buenos no responden a los llamados de los santos. Sólo Dios lo hace. Cualquiera que le diga que puede hablar con su ángel, le estará dando un consejo que contradice las Escrituras. Quizás también le inviten a que entre en tratos con los ángeles del infierno.

Los ángeles ni son omnipotentes, ni omniscientes, ni omnipresentes. En otras palabras, no son todopoderosos, aunque sí muy poderosos. Los ángeles no son sabelotodos, aunque parecen ser sumamente inteligentes. Los ángeles no están en todas partes al mismo tiempo, aunque son más rápidos que los aviones para moverse de un lugar a otro. Son semejantes a Dios, pero si los comparamos con Él, parecen linternas ante la superficie del sol.

Los ángeles no violan el libre albedrío de los seres humanos. Los ángeles juegan un papel muy activo en los propósitos de Dios y los asuntos de los seres humanos, pero no controlan los hechos de los hombres ni violan la voluntad de ellos. Sophy Burnham escribe:

> En la alta Edad Media, se consideraba que los ángeles gobernaban los cuatro elementos de tierra, aire, agua y fuego. Movían las estrellas, supervisaban los planetas y bendecían la procreación de los seres vivientes, incluyendo los nacimientos de los seres humanos. Cada día de la semana, cada estación, cada signo astrológico, cada hora del día o de la noche, tenía un ángel protector. Es más, cada cosa que se pueda imaginar, o hacer, o escribir, o mirar la gobernaba un ángel propio.[15]

---

15 Burnham, p. 20. Quiero recordarle al lector que el libro de Burnham, que ha vendido más de medio millón de copias, es absolutamente de la Nueva Era. Sin embargo, algunas porciones de su libro son bastante informativas.

Contrario a las personas supersticiosas de la Edad Media, nosotros debemos reconocer que Dios continúa usando ángeles para guiarnos, pero no para controlar nuestro medio; para enseñarnos, pero no mandarnos; protegernos, pero no violar el libre albedrío que Dios mismo nos dio en la creación. No son ángeles los que mueven cada hoja de miles de árboles en un día de vendaval.

CAPÍTULO CINCO

SU ÁNGEL PERSONAL

Ángeles, a dondequiera que vamos,
Nuestros pasos atienden en cuanto
  sucede.
Con cuidadoso esmero realizan su
  tarea,
y apartan del camino el mal que nos
  rodea.   **Carlos Wesley**

Se dice que entre los ángeles algunos se
encargan de las naciones, otros acompañan a los fieles.   **San Basilio**

Los ángeles guardianes son quizás
el tipo más popular porque todos sabemos cuán frágil puede ser
la vida, cuán poco control pareciera
que tenemos sobre los hechos que
dan forma a nuestra vida. Desesperadamente necesitamos protección
de las circunstancias inesperadas y
de los peligros ocultos. La simple
idea de saber que hay ángeles vo-

lando a nuestro alrededor nos da un sentimiento de seguridad.

UN POCO EN LA HISTORIA

La idea de los ángeles guardianes estaba bastante bien desarrollada en el judaísmo de los tiempos en que se escribió el Nuevo Testamento. De acuerdo con Colin Brown, el judaísmo enseña que cada individuo tiene su propio ángel guardián,[1] una visión generalmente certificada por los escritos de la iglesia primitiva. El gran predicador Crisóstomo, en sus *Homilías sobre Colosenses*, afirmaba que «cada creyente tiene un ángel».[2]

En el siglo tercero, Gregorio Taumaturgo escribió a Orígenes: «Pero nosotros, además del homenaje que ofrecemos al Soberano Común de todos los hombres, reconocemos y alabamos a ese ser [el ángel guardián], quien quiera que sea, que ha sido el maravilloso guía de nuestra infancia, quien en todos los demás asuntos ha sido en tiempos pasados mi benéfico tutor y guardián».[3]

Orígenes, uno de los más conocidos historiadores del cristianismo primitivo, escribió: «Cada fiel en Cristo, no importa cuán pequeño sea, lo ayuda un ángel y Cristo dice que estos ángeles siempre ven la cara del Padre que está en los cielos[...] Debemos decir que cada alma humana está bajo la dirección de un ángel que es como un padre».[4]

San Basilio creía que «a cada ángel se le asigna un creyente, permitiendo que nuestro pecado no lo aleje. Guarda el alma como un ejército».[5] Y San Bernardo de Claraval se volvía más elocuente cuando escribía o hablaba de nuestros ángeles guardianes:

¡Oh maravillosa condescendencia de Dios! ¡Oh verdadero amor maravilloso![...] El Supremo ha mandado a los ángeles, sus ángeles, aquellos sublimes espíritus tan benditamente felices y tan cerca de su trono, su familia, sus más cercanos amigos. Le ha

---

1   Brown, vol. 1, pp. 101-2.
2   Schaff y Wace, serie 1, vol. 13, p. 272. Crisóstomo basa su enseñanza en una traducción libre de Génesis 48.15,16.
3   Coxe, vol. 8, p. 48. Esto se escribió alrededor del 240 d.C.
4   Según cita Danielou, p. 69.
5   Según cita Danielou, p. 68.

encargado a los ángeles que cuiden de ti. ¿Quién eres tú? ¿Qué es el hombre para que tengas de él memoria?[...] ¿Y qué crees tú que les ha encargado que hagan por ti? Protegerte.[6]

Eusebio, el padre de la iglesia primitiva, escribió: «Teman, no sea que el hombre pecador deba quedarse sin gobierno y sin dirección, *como una manada de vacas*, Dios les dio protectores y superintendentes, a los santos ángeles, en la forma de capitanes y pastores. Su supremo Hijo está puesto por encima de ellos».[7]

Es bastante evidente, a partir de estas y otras fuentes, que dentro del transcurso de lo que fueron los primeros siglos de la historia de la Iglesia, los cristianos creían que cada persona y especialmente cada niño, tenía su ángel guardián personal, y hasta el día de hoy esta idea sigue vigente entre los católicos.

Un escritor católico, Jean Danielou, afirma confidencialmente: «*Sin duda alguna*, esta es una doctrina que aparece en la Escritura[...] que cada creyente tiene un ángel para guiarlo como un maestro y pastor.[8] A los niños católicos todavía se les enseña que un ángel bueno se sienta a su lado derecho y uno malo al izquierdo, y que tienen que elegir entre los dos en cada momento de su vida.[9]

Explicando en detalle esta idea, Gregorio de Nacianzo escribió:

Después que nuestra naturaleza cayó en pecado, Dios no nos abandonó, sino que asignó un ángel, uno de los seres que tienen naturaleza incorpórea, para ayudar en la vida de cada uno de nosotros. El destructor de nuestra naturaleza, en su momento, hizo exactamente lo mismo al enviarnos un perverso y pernicioso ángel en detrimento de la naturaleza humana. Ahora depende del hombre, quien se encuentra entre dos ángeles, cada uno buscando llevarlo por un camino distinto, hacer que uno triunfe

---

6 Según cita Pascal P. Parente, *Beyond Space: A Book about Angels* [Más allá del espacio: un libro acerca de los ángeles], Tan Books and Publishers, Rockford, IL, 1973, p. 126. He parafraseado la cita un poco para simplificar el original.
7 Según cita Danielou, p. 70, cursivas añadidas.
8 Danielou, pp. 68-69, cursivas añadidas.
9 Burnham, p. 136.

sobre el otro. El ángel bueno le presenta a su espíritu con los frutos de la virtud, todas las cosas en las que quienes hacen lo bueno ven esperanza. El otro ángel le presenta los placeres de la tierra, deleites que no tienen esperanza futura, pero que pueden cautivar la mente de los tontos cuando los han visto y los disfrutan en el presente.[10]

Jean Danielou afirma: «Es verdad que se le ha dado un ángel a cada ser humano al instante de su nacimiento. Esta es una doctrina [católica] que se ha mantenido vigente desde antaño.[11] La angeleología católica, dice Danielou, se basa en Génesis 48.16, Mateo 18.10 (a los cuales veremos más tarde) y Tobías 3.25. El libro de Tobías, uno de los catorce libros apócrifos que aparecen al final del Antiguo Testamento en las Biblias católicas,[12] no está incluido en las Biblias protestantes. A esto se debe que muchos protestantes podrían argumentar que la angeleología católica no es puramente bíblica.

Otro escritor católico, Pascal Parente, nos dice: «La a menudo mencionada actividad del arcángel Rafael en favor del viejo Tobías y su hijo son la mejor ilustración de la doble labor de un ángel guardián. Todo el libro de Tobías nos da no solo un ejemplo de la paciencia y caridad del santo varón Tobías, sino que también nos revela el maravilloso y amoroso ministerio de nuestros ángeles guardianes».[13]

Los protestantes exigentes apoyarían de todo corazón la idea de los ángeles guardianes, de que una de sus tareas principales es proteger a los santos. Pero no todos estarían de acuerdo en que cada individuo tiene un ángel personal. Tampoco los protestantes enseñan —porque esto no sólo es más difícil, sino imposible de encontrar en la Biblia— «la doctrina de los dos caminos», la idea de que a «todos los seres humanos los mueven dos án-

---

10 Según cita Danielou, p. 81.
11 Danielou, p. 71.
12 Los catorce libros apócrifos se consideraron siempre literatura sagrada en sentido general, pero no era parte del canon de la Santa Escritura si no hasta hace quinientos años. La iglesia católica reconoció estos libros como «deuterocanónicos» en el Concilio de Trento. No están incluidos en las Biblias protestantes, puesto que estos no consideran que tengan la misma autoridad como Escrituras.
13 Parente, p. 126.

geles, uno malo que los lleva hacia el mal y uno bueno que los lleva hacia el bien».[14]

Juan Calvino escribió: «Eso de que cada uno de los fieles tenga un ángel particular asignado para su defensa es algo que no me puedo aventurar a afirmarlo con certeza». Estaba de acuerdo en que a ciertos ángeles se les encargaba la seguridad de los pequeños, basado en la bien conocida declaración que se encuentra en Mateo 18.10, pero Calvino no pensaba que este versículo «justifique la conclusión de que cada uno tiene un ángel guardián particular». Calvino prefería pensar que «no sólo un ángel en particular tiene a su cargo el cuidado de cada uno de nosotros, sino que todos los ángeles juntos con un mismo consentimiento velan por nuestra salvación».[15]

UN POCO EN LA BIBLIA

La Biblia dice menos acerca de los ángeles guardianes personales de lo que puedan pensar. De las cientos de referencias a los ángeles en las Escrituras, sólo muy pocos sugieren que la gente tiene ángeles asignados para velar por ella.[16] No quiero que se entienda que con esto doy por sentado que los ángeles nos cuidan sólo en ocasiones ni de que no es realmente importante en la Biblia. Se trata de que lo que enfatizamos acerca de los ángeles no siempre es lo que la Biblia enfatiza.

Tal vez los versículos mejor conocidos de la Biblia acerca de los ángeles guardianes están en el Salmo 91.11-12, que el diablo usa para tentar a Jesús a actuar suntuosamente: «Pues a sus ángeles mandará acerca de ti, que te guarden en todos tus caminos. En las manos te llevarán, para que tu pie no tropiece en piedra». Jesús no cayó en la trampa. Venció al maligno a través de la Palabra del Señor.

Nuestra lección aquí es que Dios no envía a sus ángeles sólo para compensar nuestra impertinencia. Todos los ángeles están

---

14 Orígenes, según cita Danielou, p. 80.
15 Según cita y discute Adler, p. 73.
16 Véase en el Apéndice 3 un índice de gran alcance de las referencias bíblicas sobre los ángeles.

a nuestro derredor, es cierto, pero para protegernos de las calamidades que llegan en momentos inesperados. El Salmo 34.7 nos asegura: «El ángel de Jehová acampa alrededor de los que le temen, y los defiende».

Uno de mis pasajes favoritos de la Biblia acerca de los ángeles guardianes está en el capítulo 12 de Hechos, un pasaje al cual me refiero brevemente en el último capítulo. Al principio de la historia del movimiento cristiano, Herodes arrestó a varios líderes clave de la iglesia. «En aquel tiempo Herodes echó mano a algunos de la iglesia para matarles. Y mató a espada a Jacobo, hermano de Juan». (Recuérdenlo, porque volveremos a este frío relato de la muerte de Jacobo. Es una parte importante de lo que la Biblia nos enseña acerca de los ángeles.) «Y viendo que esto había agradado a los judíos, procedió a prender también a Pedro».

La noche antes de su juicio, Pedro, atado con cadenas, dormía entre dos soldados y «los guardas delante de la puerta custodiaban la cárcel». En otras palabras, su prisión era de máxima seguridad y no había la más mínima esperanza de que pudiera escapar.

De repente, un ángel apareció iluminando la celda. La Biblia nos dice que tocó a Pedro en el costado, le despertó y le dijo: «Levántate pronto». Mientras las cadenas se le caían de las manos, el ángel añadió: «Cíñete, y átate las sandalias». Todo estaba iluminado. El ángel hablaba. Las cadenas cayeron. Pedro se movía mientras se vestía. Y a pesar de todo, los guardias seguían roncando. Esta fue la otra mitad del milagro.

Todavía tratando de quitarse el sueño de sus ojos, Pedro pestañeaba mientras seguía al ángel fuera de la prisión. Después de pasar a dos guardias y ver cómo la puerta de la prisión se habría sola, Pedro se encontró parado en la oscuridad afuera de la prisión.

Cuando el ángel desapareció, Pedro finalmente se dio cuenta de que no soñaba y se apresuró a llegar a la casa de María, la madre de Juan Marcos. Había mucha gente reunida allí para orar, quizás por su liberación. Cuando una muchacha de la casa que atendía la puerta escuchó la voz de Pedro, estaba tan emocionada que corrió adentro sin abrir la puerta.

—¡Es Pedro, es Pedro! —exclamó la joven.

—Estás loca —le contestaron.

Pero como ella sostenía que era cierto, dijeron:

—No será él, sino su ángel.

(Hechos 12.15, Dios habla hoy.)

Esto quizás sugiere, si bien el texto no lo enseña por completo, que la iglesia primitiva creía que cada persona tenía un ángel acompañante semejante a la persona. Este pasaje, más que ninguno otro, sugiere que cada uno tenemos un ángel guardián personal.

Génesis 48.16 puede ser otro, aunque la mención del ángel es muy similar, de manera incidental y no definitiva. Jacob oró:

El ángel que me liberta de todo mal, bendiga a estos jóvenes [los hijos de José, Manasés y Efraín].

¿Tiene cada individuo su ángel personal? La Biblia no descarta la posibilidad, pero tampoco lo dice clara y directamente. Sin embargo, sabemos por Hechos 12 que un ángel rescató a Pedro sobrenaturalmente de una oscura prisión.

Un relato paralelo se encuentra en la asombrosa historia sobre protección angélica de Corrie ten Boom en Ravensbruck, el espantoso campo de concentración nazi:

Entramos al aterrador edificio. Paradas junto a una mesa había unas mujeres que se llevaron nuestras pertenencias. Cada una teníamos que desvestirnos por completo y después ir a un cuarto donde revisaban el cabello.

Le pregunté a una mujer que revisaba las pertenencias de las recién llegadas si podía usar el baño. Apuntó hacia una puerta y descubrí que las facilidades no eran otra cosa más que un hoyo en el piso del cuarto de las duchas. Betsie permaneció cerca de mí en todo momento. De repente, tuve una inspiración: «Rápido, quítate tu ropa interior de lana», le susurré. La enrollé junto con la mía y puse el bulto en una esquina junto con mi pequeña Biblia. El hueco estaba poblado de cucarachas, pero eso no me preocupó. Me sentí maravillosamente liberada y feliz. «El Señor está ocupado respondiendo a nuestras oraciones Betsie», le susurré. «No tendremos que hacer el sacrificio de toda nuestra ropa».

Nos dimos prisa en regresar a la fila de mujeres esperando para ser desvestidas. Un poco más tarde, después de ducharnos y ponernos nuestras camisas y andrajosos vestidos, escondí el rollo de ropa interior y mi Biblia bajo mi vestido; pero oré: «Señor, permite que pequeños ángeles me rodeen y que no sean transparentes hoy, porque los guardias no deben verme». Me sentí perfectamente aliviada. Con calma pasé ante los guardias. A cada una la revisaron por el frente, los lados, la espalda. Ninguna protuberancia escapaba a los ojos de las guardias. La mujer que iba delante de mí llevaba escondido un chaleco de lana debajo de su vestido; se lo quitaron. Me dejaron pasar, porque no me vieron. A Betsie, detrás de mí, la revisaron.

Pero afuera aguardaba otro peligro. A cada lado de la puerta había mujeres que veían a cada una por segunda vez. Tocaban el cuerpo de toda la que pasaba. Supe que no me verían, porque los ángeles seguían rodeándome. Ni siquiera me sorprendí cuando me pasaron por alto; pero dentro de mí se elevó un jubiloso grito: «Ah Señor, si así contestas la oración, puedo enfrentar Ravensbruck sin miedo».[17]

CUANDO LOS ÁNGELES NOS «FALLAN»

¿Protección angélica? ¿Por qué harían los ángeles un poco más que ayudar a Corrie ten Boom a esconder su Biblia, cuando en el libro de Hechos un ángel libera a Pedro de la prisión? Esta es una lección secundaria que podemos aprender de Hechos 12. La intervención angélica, así como la protección de Dios mismo, no siempre es previsible. Y las razones no siempre son claras. El ángel que personalmente escoltó a Pedro de la prisión fracasó, si me atrevo a usar el término, en evitar la muerte de Jacobo, el hermano de Juan (véase Hechos 21.1-2). Realmente no tengo una explicación para algo de esta magnitud. Nadie la tiene.

---

17 Corrie ten Boom con Elizabeth Sherrill *The Hiding Place* [El refugio secreto], Fleming H./Revell, Grand Rapids, MI, 1984. Esta historia se usa con permiso de Fleming H. Revell.

Ninguno ha podido jamás contestar completa y adecuadamente a la pregunta: «¿Por qué le suceden cosas malas a la gente buena?» O su corolario: «¿Por qué los ángeles ayudan a veces pero no siempre?» No es que la gente no halla tratado de responder esa pregunta. El libro más antiguo en la Biblia, Job, trata de descubrir este inexplicable misterio. Yo también lo he intentado. Si Dios es omnipotente y además tiene legiones de ángeles, y si Dios es todo amor, ¿por qué le suceden cosas malas a la gente que Dios protege y ama? La respuesta puramente lógica es que o Dios no es todopoderoso o no es todo amor. Pero esta es una conclusión demasiado simplista para una cuestión tan compleja.

En cierta forma creo que tiene que ver en que Dios quiera preservar nuestro libre albedrío, la esencia de la humanidad. El potencial en la naturaleza humana para la bondad extrema necesita el potencial, al mismo grado, para el mal sobrecogedor. Como sabemos, es un hecho del cual no podemos escapar.

Pero, ¿por qué los ángeles guardianes intervienen por algunos santos como Pedro y no por otros como Jacobo? ¿Por qué los ángeles guardianes salvan a unos niños y a otros no? ¿Por qué los ángeles guardianes evitan que algunos carros tengan accidentes y otros no? ¿De qué sirve un guardaespaldas si no siempre está en el lugar para cuidarte?

Desconozco las respuestas a estas preguntas. Pero sí sabemos, sin embargo, que el Reino de Dios está cerca, pero que no ha llegado completamente. Sólo lo hemos «*probado*[...] los poderes del siglo venidero», como el escritor anónimo de Hebreos nos explica (Hebreos 6.5). Lo que Dios hace por nosotros en esta vida es solo un bocadito. Todavía estamos esperando por el plato fuerte.

Al principio de su epístola, el escritor de Hebreos cita el Salmo 8:

¿Qué es el hombre, para que te acuerdes de él,
O el hijo del hombre, para que le visites?
Le hiciste un poco menor que los ángeles,
Le coronaste de gloria y de honra,
Y le pusiste sobre las obras de tus manos;
Todo lo sujetaste bajo sus pies   **Hebreos 2.6-8 (cursivas añadidas)**

El texto continúa: «Porque en cuanto le sujetó todas las cosas, nada dejó que no sea sujeto a Él; *pero todavía* no vemos que todas las cosas le sean sujetas. *Pero vemos a[...] Jesús*» (Hebreos 2.8-9). Es claro por este pasaje que *al presente* no todas las cosas son como nos gustaría que fueran. No todo está sujeto a nosotros, aun y cuando somos un poco menores que los ángeles. Pero vemos a Jesús. Él es la resurrección y la vida, la esperanza de todo creyente, por quien de algún modo y algún día, *de acuerdo a Dios*, todo va a cooperar para bien. No todo lo que pasa es bueno para nosotros, pero Dios hará que sea para nuestro bien.

Esta es la tensión entre lo que algunos llaman el «ya» y el «todavía no», entre «lo que es» y «lo que debe ser». Por ciertas razones celestiales inexplicables, hay muchas veces en que Dios decide intervenir directamente en nuestras vidas, *ahora*. Con frecuencia la ayuda de Dios es una respuesta directa a nuestras oraciones. Otras veces, Dios nos sostiene aun cuando no sabemos ni siquiera por qué orar. Sólo sabemos que es Dios el que responde nuestras oraciones, orquestando nuestras circunstancias, ordenando nuestro mundo privado y dando forma a nuestro destino.

Otras veces, más a menudo de los que nos gustaría, Dios no interviene en el «ahora». Por cualesquiera que sean las razones celestiales inexplicables, ni Dios ni sus ángeles guardianes se detienen para rescatarnos. Esos son los momentos cuando el Reino de Dios *aún no* ha venido en su totalidad. Es posible que hasta nos cuestionemos si existe Dios. O de existir, si le importamos. A lo mejor pensamos que Dios no es tan amoroso.

¿Por qué el ángel que salvó a Pedro se quedó a distancia y miró cómo Jacobo era pasado por espada? No estoy exactamente seguro. Algunas veces es tanta mi inseguridad en esta clase de situaciones, que me hacen irritar.

No obstante, cuando pienso acerca de esto, tengo que estar profundamente agradecido por el ángel que abrió la prisión de Pedro. Y por todos los ángeles que han ayudado y salvado a innumerables santos y pecadores a través de los siglos. Incluyéndome a mí.

Me gusta la forma en que los tres hombres dentro del horno de fuego lo explican.

Sadrac, Mesac y Abed-nego respondieron al rey Nabucodonosor, diciendo: No es necesario que te respondamos sobre este asunto. He aquí nuestro Dios a quien servimos puede librarnos del horno de fuego ardiendo; y de tu mano, oh rey, nos librará. *Y si no*, sepas, oh rey, que no serviremos a tus dioses, ni tampoco adoraremos la estatua que has levantado.

Daniel 3.16-18 (cursivas añadidas)

¿Saben cómo termina el relato, verdad? El rey los lanza a las llamas, un infierno tan caliente que mata hasta a los ejecutadores. Pero esperen. Repentinamente Nabucodonosor da un salto espantado. ¡Ahí frente a sus ojos habían *cuatro* hombres *vivos* en el horno! «¿No arrojamos al fuego a tres hombres atados?», preguntó el rey. «Pues yo veo cuatro hombres desatados, que pasean en medio del fuego sin que les pase nada, y el cuarto hombre tiene el aspecto de un ángel». Era un ángel. Un gran ángel guardián.

Dios salvó a los tres hombres. Estos sabían que Él podía. Pero si no lo hubiera hecho, también lo habrían aceptado. Algunas veces Dios y sus ángeles intervienen. Algunas veces lo que Dios hace es obvio y estamos profundamente agradecidos. En otras, Dios y sus ángeles no hacen nada, o al menos eso parece. Pero, «aun si el no lo hace», Él sigue siendo Dios y nosotros debemos seguir sirviéndole fielmente.

LOS PEQUEÑOS Y SUS ÁNGELES

Los ángeles guardianes son especialmente necesarios para los pequeños. Si has criado a uno o más, nosotros tenemos tres, sabrás cuán a menudo se lastiman y hacen daño. Hacen cosas irresponsables. Y cuán inútiles somos para protegerles.

❧ ❧ ❧

¿Podrías prestarme algunos ángeles guardianes
para darme paz mental
cuando mis hijos se alejen de mí
y se alarguen los lazos que nos unen?
Betty Banner[18]

❧ ❧ ❧

Nuestra hija tenía apenas unos meses. Mi esposa la puso en la mesa alta de cambiar pañales y se agachó un poco, sólo por una fracción de segundo, para tomar un pañal limpio. Cuando levantó su cabeza, se horrorizó de ver el pequeño cuerpecito de Shari cayendo hacia el piso. Pero, ¿se lastimó nuestra pequeña niña? Ni siquiera un poquito. ¿Vio mi esposa un ángel? No, pero, ¿quién sabe?

En dos ocasiones en distintos años, observé sin poder hacer nada, paralizado de miedo, cómo cada uno de nuestros dos primeros pequeños caían al piso desde su andador a mitad de las escaleras. La primera vez fue bastante malo, pero realmente no lo podía creer cuando pasó la segunda vez. ¿Cómo pude permitir que esto sucediera, no una, sino dos veces? ¿Cómo fue que sobrevivieron sin hacerse ningún daño? ¿Acaso fueron sus ángeles guardianes? Sólo Dios lo sabe.

Con toda la suma importancia que tienen los niños para nosotros, la Biblia nos habla únicamente de forma general acerca de cómo obra Dios a su favor. ¿Qué les sucede a los niños cuando mueren? ¿Deben ser bautizados? ¿Existe una cosa tal como la «edad de responsabilidad» en la que los niños tienen que tomar una decisión respecto a creer en Cristo? ¿Tiene cada niño su ángel de la guarda personal? La Biblia simplemente no aborda estas preguntas con tanta precisión o profundidad como lo hacen nuestros mejores teólogos.

Lo que sí es cierto es que Jesús dijo: «Mirad que no menospreciéis a uno de estos pequeños; porque os digo que sus ángeles

---

18 Según se cita en *Angels Among Us*, p. 56.

en los cielos ven siempre el rostro de mi Padre que está en los cielos». De alguna manera los ángeles de Dios cuidan de nuestros niños pequeños y eso es bastante reconfortante.

Cheryl Sacks me contó la siguiente experiencia que tuvo con su pequeña hija:

Era el verano de 1986 y habíamos acabado de celebrar el quinto cumpleaños de Nicole. Mi esposo Hal estaba fuera en un viaje a las Filipinas y Nicole había estado bastante ansiosa respecto a la partida de su papá. Así es que antes de salir, Hal reunió a nuestra pequeña familia de tres y oró que la protección del Señor estuviera sobre nosotras mientras él estaba lejos. Oró especialmente que Dios enviara a sus ángeles para que nos cuidaran.

Una noche mientras Hal no estaba, Nicole se despertó por el sonido de voces cantando. Dijo que en la noche vinieron ángeles e hicieron un círculo alrededor de ella y cantaron las canciones más bellas que nunca antes había escuchado. Le pregunté cómo eran los ángeles. «Algunos eran grandes», me dijo. «Sus cabezas casi tocaban el techo y otros eran pequeños como yo». También me dijo que estaban vestidos de color blanco muy brillante y que tenían bandas de oro alrededor de sus cabezas.

Héctor Torres me contó una experiencia similar con su pequeña hija. Héctor narró la historia en el capítulo anterior respecto a los ángeles en el Jeep que le ayudaron a componerlo.

Una noche, cuando nuestra hija Heidy tenía alrededor de cinco años, mi esposa y yo despertamos con sus gritos. Corrimos hasta su habitación y al entrar, Heidy comenzó a apuntar hacia el lado izquierdo de su cama y nos dijo: «Miren al hombre blanco. Mírenlo, mírenlo».

Mi esposa y yo no veíamos nada, pero Heidy seguía insistiendo que había un hombre grande vestido de blanco cerca de su cama. Me senté a su lado y le dije que ese debía haber sido su ángel guardián y que Dios le había concedido que lo viera para que supiera cómo Él protegía del mal a sus niños y niñas.

En mi próximo relato, un amigo Dan McGee nos provee de ideas conmovedoras acerca de las formas en que Dios y sus ángeles actúan.

Mi esposa Merrianne y yo comenzamos a orar por nuestros futuros hijos tres años antes de casarnos en 1987. Siete años después nació nuestro primer hijo, Michael. Oramos de manera específica por la bendición de Dios, la unción sobre sus vidas y para que pudieran conocer a Dios desde su temprana edad. Creemos firmemente en el poder de la oración e hicimos esto una parte de nuestras suplicas diarias, una especie de inversión espiritual familiar.

En los primeros meses de la vida de Michael, comenzamos a notar algo inusual en su comportamiento. Había momentos en los que jugábamos con él sobre una manta o en su cochecito, y de pronto desviaba la vista más allá de nosotros y comenzaba a mirar intensamente en un punto hacia el espacio, pero sus ojos estaban fijos. Seguíamos su mirada sólo para descubrir que al parecer observaba intensamente la pared en blanco o un punto sin importancia en el techo.

En esos momentos, sonreía, y muchas veces levantaba sus brazos en el aire y comenzaba a «hablar». También nos dimos cuenta de que nuestra presencia no distraía su mirada ni desviaba su atención. Estas situaciones se suscitaron durante varios meses.

Perdidos como estábamos en la novedad de la paternidad, pensamos muy poco respecto a estos episodios hasta que un día mi esposa comentó: «Me preguntó si está hablando con sus ángeles». Eso nos impactó como una revelación.

Seríamos las últimas personas en el mundo en tratar de convencer a nadie de que Michael vio o sintió la presencia de seres angélicos. Sin embargo, creemos que Dios le ha bendecido con una maravillosa conciencia espiritual como resultado directo a nuestras oraciones de años antes de su nacimiento.

LOS ADULTOS Y SUS ÁNGELES

También los adultos tienen historias maravillosas que contar sobre sus ángeles guardianes.

Definitivamente un ángel. Una amiga, Anna (no es su nombre real), ha hecho un amplio trabajo misionero para alcanzar áreas de acceso limitado. En 1986 trabajaba para una gran organización misionera en Europa central, y yo la vi unos días antes en Viena cuando tuvo la siguiente experiencia:

A finales de mayo de 1986, cerca de cinco días después de que tú me visitaras en Austria, nuestro equipo ministerial tenía trabajo que hacer en varias ciudades de Rumania. Lo que estoy a punto de relatar involucra a dos miembros de nuestro equipo, Sarah y Clara (tampoco son sus nombre reales), cuya asignación ministerial las llevó a Bucarest.

Llegaron tarde ese día. Aunque ya había anochecido, oraron y acordaron que Clara debía ser la que caminara hasta el hogar de un creyente cristiano en particular e hiciera los arreglos para reunirse una hora más tarde. Todo tenía que hacerse en secreto y con cautela debido a la terrible persecución de los cristianos en Rumania en esos días.

Con el corazón palpitando de miedo y emoción, estacionaron su vehículo alrededor de tres cuartos de milla de la casa. Sarah esperó en el automóvil mientras que Clara se dirigía calle abajo en la oscuridad.

Casi a medio camino de la casa, Clara pasó un grupo de cerca de una docena de hombres desconocidos. Y se dio cuenta de que estaba en gran peligro cuando comenzaron a seguirla. Apresurándose, comenzó a orar mientras caminaba tan rápido como podía hacia una intersección pobremente alumbrada que estaba adelante.

Al cruzar esa intersección, se dibujaba la silueta de otro hombre parado en la oscuridad. Algo la hizo darse prisa para alcanzarlo. Corrió al otro lado de la calle, mientras los otros hombres la seguían de cerca y procurando alcanzarla.

Hablando en inglés le suplicó al extraño que por favor la ayudara. Avanzando con rapidez hacia ella, la rodeó con su brazo y, para su asombro y sorpresa, la instruyó en perfecto inglés diciéndole: «Sólo pretende que eres mi novia y camina conmigo».

Los otros hombres dejaron a un lado su pesquisa, pero el extraño siguió a su lado. Con cautela ella le preguntó: «¿Quién eres? ¿Y qué hacías en la intersección?»

De nuevo, en perfecto inglés, le respondió simplemente: «Mi propósito aquí en la tierra es ayudarte».

No lejos de ahí había un hotel. Él la encaminó hasta la recepción. Asegurándole que estaría bien allí, regresó afuera y desapareció en la noche. Siguiendo el consejo del extraño, pasó la noche en el hotel, para desesperación de su compañera que le esperó todo este tiempo en el auto. Al día siguiente, se reunieron y esa tarde pudieron completar su misión.

Un extraño en el ómnibus. Patricia Trently narra su encuentro angélico:

Tengo sesenta años, pero sólo he sido cristiana durante los últimos quince años. Cuando tenía diecinueve, me escapé de casa para la ciudad de Nueva York con el corazón destrozado. Renuncié a mi trabajo, compré un pasaje de ida y dejé las cataratas del Niágara por la gran ciudad. Estaba tan tensa, que sólo tomé unas cuantas cosas personales y veinte dólares. Pensaba que de algún modo me las arreglaría. Conseguiría un trabajo y estaría bien.

Después de recorrer cincuenta millas del camino, me vino un fortísimo dolor de muelas. Al escucharme llorar, un hombre joven en el asiento delantero, se viró hacia mí y me preguntó si algo andaba mal. Le hablé acerca de mi muela y me preguntó si se podía sentar a mi lado. Estuve de acuerdo. Para mi sorpresa, sacó un frasco de gotas para muelas de su bolsillo. No sólo las gotas se hicieron cargo del dolor, sino que le abrí mi corazón a él.

Cuando finalmente llegamos a Nueva York, el extraño me dijo que esperara en la estación de ómnibus, que él regresaría. Lo vi usar un teléfono y al volver, compasivamente me insistió para que regresara a casa. Mientras sostenía dos boletos para Niágara en su mano, me dijo que hasta estaba dispuesto a llevarme él mismo a casa.

Casi no podía creerlo. Heme ahí, de nuevo en el ómnibus, camino a casa después de algunas horas en la ciudad de Nueva York. Todavía charlaba con el joven cuando nos bajamos del ómnibus en Niágara. Él estaba ahí, detrás de mí, pero cuando me bajé a la acera y volví a mi alrededor para hablarle... ¡se había ido!

Busqué desesperadamente hacia arriba y abajo de la calle. Hasta me subí al ómnibus de nuevo para buscarlo. No hubo modo de encontrarlo. Y ninguna de las personas a las que les pregunté, recordaban haberlo visto conmigo. Simplemente se había esfumado.

Jamás le dije nada a nadie por años. Me imaginé que creerían que estaba loca. No sabía qué pensar. Sólo sabía que estaba de vuelta en casa, sana y salva, y todavía tenía mis veinte dólares en el bolsillo.

Veinticinco años más tarde me hice cristiana. *Entonces supe lo que me había sucedido.* Era Dios que cuidaba de su pequeña niña. Me gusta pensar que el extraño en el ómnibus era mi ángel guardián personal que había venido a ayudarme. Únicamente Dios sabe qué cosas malas podían haberme pasado de no haber regresado a casa.

Un ángel con alas prestadas. ¿Cree en los ángeles guardianes? ¿Puede creer el siguiente relato? Estaba cenando con algunos amigos en Salem, Oregon. Jack y Ellene Bowden son maravillosas personas que han comprometido sus años de retiro al ministerio cristiano de tiempo completo. Durante la cena, les dije que estaba escribiendo un libro acerca de los ángeles. ¿Tenían alguna historia que contarme?

«No tenemos», me dijo Ellene después de pensarlo un instante. «Pero mi compañera de oración, Nancy, tuvo una experiencia realmente inusual. Sin embargo, no estoy segura si querrá contarla».

Bueno, ella lo hizo.

Hace varios años acompañaba a mi esposo en unas vacaciones gratis que se había ganado en su trabajo. Desafortunadamente, no estaba muy contenta respecto a esta maravillosa oportunidad de viajar. Como verá, me aterraba volar. Es más, tenía tanto pánico antes del viaje, que no empaqué mis cosas sino hasta el día antes de partir.

Cuando el avión se elevaba en la pista, di un vistazo por la ventana. Ahí, al final del ala del avión estaba sentado un ángel. Su tamaño era aproximadamente el de un niño de siete u ocho años de edad y, según hasta donde puedo decir, este ángel no tenía alas propias.

Si bien tenía cara, no era como de piel. Su semblante era parecido al cristal blanco y brillante y con exuberante felicidad. Se veía como si disfrutara del viaje.

El ángel permaneció en el ala muchas horas. Cuando comenzamos nuestro descenso en Florida, vi que el ángel se iba recto al cielo. Misión cumplida. Nadie más lo vio, pero nadie podría jamás convencerme de que lo que vi no era real.

Desvelado en Indonesia. Mi último informe sobre ángeles guardianes es de una amiga misionera, Fran Love, cuyo esposo Rick es director de *Frontiers* en Estados Unidos, una gran organización misionera. Rick y Fran fueron fundadores de iglesias en Indonesia durante muchos años.

Éramos misioneros nuevos. Rick se había ido a un retiro de fin de semana para trabajadores indonesios interesados en evangelizar a sus vecinos. Estaba sola en la casa y muy delicada por mi embarazo.

Dios le había dado una promesa a mi esposo de que yo llevaría a mi bebé en mis entrañas hasta que naciera. Allá en Estados Unidos había tenido varios abortos naturales y no había sido capaz de conservar un embarazo hasta su final, de manera que temía perder este bebé.

Rick se había ido y en medio de la noche algo me despertó. Vi hacia los pies de mi cama la silueta de un hombre blandiendo una espada en alto. Su oscura sombra cubría la entrada de la puerta abierta y parecía como si me fuera a pegar en donde estaba acostada.

Sinceramente, mi primera impresión fue de miedo. «Es un demonio», pensé. Si bien la impresión primordial era de que se trataba de un ángel y que lejos de querer hacerme daño había sido enviado para protegerme. Es más, la simple ubicación de la espada desenvainada mostraba claramente de que estaba en peligro y que el ángel estaba presto para pelear por mí.

En mi corazón, sabía con certeza de que este era un ángel. En ese preciso momento, hermosas alabanzas y canciones de adoración salieron de mi corazón y mis labios. Tal era la paz y el gozo que fluían de mi cuerpo que rápidamente caí en un profundo y tranquilo sueño.

He tenido dos encuentros con manifestaciones demoníacas y fueron tan aterradores que no podía dormir sin tener luz en la habitación. Así que al tener la posibilidad de dormirme tan rápido me aseguró que había visto a un ángel.

También creo que fue un ángel, y no mi imaginación, por varias razones. Primero, no procuraba tener una aparición de manera que no estaba predispuesta a este tipo de manifestaciones sobrenaturales. Por cierto, jamás he visto un ángel, ni antes ni después. Segundo, sentí una paz incomparable. Tercero, la amenaza del abortó pasó.

El hecho de que el ángel fuera una silueta oscura me hizo estar doblemente segura de que no se trataba de mi imaginación. Si hubiera querido evocar una experiencia angélica, habría esperado ver una imagen de luz, alas y una aureola, más parecidos a los ángeles representados en las ilustraciones de los libros.

Los ángeles nos guían. Los ángeles nos guardan. Los ángeles nos llevan al cielo cuando morimos. De esto trata el siguiente capítulo.

CAPÍTULO SEIS

ÁNGELES EN EL UMBRAL DE LA MUERTE

Con el silencio únicamente como su
   bendición
   vienen los ángeles de Dios
Donde, en la sombra de una gran
   aflicción,
   el alma se enmudece.
               John Greenleaf Whittier

Es bastante razonable imaginar que también los ejércitos de Dios llevan a los
muertos impíos hacia su lugar de tormento. Para ellos este viaje, con sobrada razón, no es de placer.   **Stephen Swilhart**

Cuando mi bisabuela murió, según cuenta mi madre, escuchó
ángeles cantando. Billy Graham
cuenta casi la misma historia acerca
de su abuela. Cuando ella murió: «El
cuarto pareció llenarse de una luz

celestial. Se sentó en la cama y casi riendo dijo: "Veo a Jesús. Tiene los brazos extendidos hacia mí. Veo a Ben [su esposo que había muerto algunos años atrás] y veo a los ángeles"».[1] Con esa grata exclamación, exhaló su último respiro y pasó a la eternidad.

En este postrer instante[...] hará que sus ángeles te tomen en brazos y te conduzcan gloriosa y maravillosamente al cielo.

Billy Graham

¿QUÉ DICE LA BIBLIA AL RESPECTO?

Ya sé que quizás se están cansando de escucharme decir esto, pero la Biblia no es tan específica acerca de esto como nos gustaría que lo fuera. La mayoría de lo que sabemos a través de la Biblia respecto a los ángeles y a la muerte se basa en deducciones corroboradas por las experiencias de la gente moribunda.

Jesús nos habló un poco al respecto al narrar la historia de Lázaro y del hombre rico.[2] El enfermizo mendigo Lázaro, cubierto de repugnantes llagas, estaba agradecido aun por los desperdicios que caían de la mesa del rico. Pero cuando ambos murieron, Lázaro fue al paraíso y el hombre rico se fue al Hades. Finalmente, el pasaje en esencia es una acusación a la comunidad judía religiosa no creyente de los tiempo de Cristo, pero la referencia incidental a los ángeles es importante: «Aconteció que murió el mendigo, *y fue llevado por los ángeles al seno de Abraham*» (Lucas 16.22, cursivas añadidas).

Los ángeles vinieron para transportar su espíritu ante la presencia de Dios. El inusual informe de Judas 9 es similar: «Pero cuando el arcángel Miguel contendía con el diablo, disputando con él por el cuerpo de Moisés, no se atrevió a proferir juicio de maldición contra él». El cuerpo de Moisés, como quizás sepan, desapareció después de su muerte. El Antiguo Testamento nos dice que Dios se lo llevó y lo sepultó en Moab (Deuteronomio 34.5-6). Por alguna razón, que a lo mejor tiene algo que ver con la reaparición profética de Moisés antes de la venida del

---

1 Graham, p. 145.
2 Lucas 16.19ss, especialmente el versículo 22.

Señor,[3] hubo una acalorada disputa entre Miguel y Satanás respecto a la posesión del cuerpo de Moisés. No podemos saber con certeza por qué Satanás quería el cadáver de Moisés, pero una cosa es clara: los ángeles, de las tinieblas y de la luz, visitaron su lecho de muerte.

Los ángeles aparecen en el umbral de la muerte porque esta es el margen que divide tiempo y eternidad. La muerte es un cuarto con una vista más allá del velo. En la Biblia, casi todos los encuentros con el cielo (visiones, sueños, milagros, revelaciones acerca del futuro, la Segunda Venida de Cristo y el Día del Juicio) se desenvuelven en presencia de los ángeles. Si la muerte es la puerta a la eternidad, los ángeles son los porteros. Es más, fueron los guardianes de la tumba vacía del Salvador. Los ángeles estaban en todas partes, testificando la resurrección y anunciándola a sus discípulos.

Otra narración de la Biblia que conecta a ángeles y a la muerte está en 2 Reyes 2, el famoso relato de Elías cuando fue arrebatado hacia el cielo en un carro de fuego. Eliseo tenía el presentimiento de la partida de su maestro Elías, y cuando los dos hombres caminaban y conversaban juntos: «He aquí un carro de fuego con caballos de fuego apartó a los dos; y Elías subió al cielo en un torbellino. Viéndolo Eliseo, clamaba: ¡Padre mío, padre mío, carro de Israel y su gente de a caballo! Y nunca más le vio» (2 Reyes 2.11-12).

Este pasaje no dice nada directo acerca de los ángeles, pero al menos por dos razones hay una gran posibilidad de que «los carros de fuego y la gente de a caballo de Israel» sea una velada referencia a los ejércitos angélicos. Primera, algunas páginas más adelante, 2 Reyes 6.17, cuando Eliseo está atrapado en la ciudad de Dotán, él y su siervo vieron que «el monte estaba lleno de gente de a caballo, y de carros de fuego alrededor de Eliseo». ¡Ángeles! Segunda, los carros de fuego son similares a la visión de Ezequiel de los querubines en el primer capítulo de su libro.

---

3 Moisés apareció con Elías en el Monte de la Transfiguración, quizás anticipando la reaparición de ambos en los postreros días, como lo sugiere Apocalipsis 11.

Por deducción, entonces, los ángeles estaban en el torbellino que se llevó a Elías al cielo.

El angeleólogo católico Pascal Parente escribe: «Es en la hora de la muerte que los ángeles buenos muestran el mayor celo en proteger y defender el alma encomendada a su cuidado, invocando con frecuencia la ayuda de otros ángeles en contra de las artimañas y furor de Satanás». Añade que, de acuerdo a Orígenes: «En la hora de la muerte la escolta celestial [*psychopompe*, en griego] recibe el alma un momento antes de que esta deje el cuerpo».[4]

CÓMO LAS EXPERIENCIAS EN EL UMBRAL DE LA MUERTE CORROBORAN LO QUE DICE LA BIBLIA

George Gallup, de todas las personas (por cierto, ¡es cristiano!), informó una maravillosa experiencia en el umbral de la muerte en su libro *Aventures in Immortality*. Una enfermera, que vive en Pennsylvania, se puso mortalmente enferma después del nacimiento de su primer bebé. Una voz le dijo que iba a morir, así es que llamó a su esposo y a otros miembros de la familia a su cuarto para decirles esto. En ese momento, relató, cayó en un éxtasis y tuvo una visión.

Pareciera como si todos esos ángeles vinieran del cielo y, tomándose de las manos, formaron una escalera que llegaba hasta allá[...] Fui avanzando por la escalera de las manos de los ángeles hasta alcanzar el cielo. Cuando llegué a la cima, había una gran nube frente a la puerta y un ángel me dijo: «Esa nube son las oraciones de tu familia por tu regreso».[5]

La tecnología para salvar vidas y el moderno cuidado de traumatología han incrementado dramáticamente el número de personas que han tenido experiencias en el umbral de la muerte (EUM): un fenómeno médico en el que el paciente tiene la sen-

---

4   Parente, 129.
5   George Gallup, *Adventures in Immortality: A Look Beyond the Threshold of Death* [Aventuras en la inmortalidad: Una mirada más allá del umbral de la muerte], McGraw-Hill, New York, 1982, pp. 91-92.

sación de estar abandonando su cuerpo debido a ciertas crisis tales como un accidente o enfermedad. Con frecuencia, esta experiencia está acompañada de un paro temporal de las funciones vitales del cuerpo como la respiración y el pulso, hasta que el paciente recobra la conciencia un momento más tarde. De acuerdo a un artículo reciente en la revista *Life*, los estadistas estiman que alrededor de ocho millones de estadounidenses han tenido experiencias de este tipo.

El apóstol Pablo sobrevivió a una experiencia en el umbral de la muerte y escribió acerca de ella en 2 Corintios 12.2-4. Pensamos que pudo haber pasado cuando lo apedrearon, casi hasta morir, en Listra (véase Hechos 14.19). Pablo narra:

Conozco a un hombre en Cristo [una referencia velada a sí mismo], que hace catorce años (si en el cuerpo, no lo sé; si fuera del cuerpo, no lo sé; Dios lo sabe) fue arrebatado hasta el tercer cielo (el paraíso, la morada de Dios en la antigua cosmología). Y conozco al tal hombre (si en el cuerpo, o fuera del cuerpo, no lo sé; Dios lo sabe), que fue arrebatado al paraíso, donde oyó palabras inefables que no le es dado al hombre expresar.

Desearíamos que Pablo hubiera mencionado a los ángeles, pero sí nos dice, *en la Palabra de Dios*, que es posible tener una experiencia «fuera del cuerpo», ser levantado en los cielos y vivir para contarlo.

Quizás deba hacer notar, debido a la actual indignación acerca de las experiencias fuera del cuerpo, que la experiencia de Pablo no fue autoinducida a través de obligar a la mente a meditar en ello, que es lo que promueven los partidarios del movimiento de la Nueva Era. Para Pablo, simplemente sucedió y quizás se debió a que estaba en el umbral de la muerte.

Pablo no nos da detalles acerca de lo que vio, pero los cuidadosos estudios de EUM han aportado muchos denominadores comunes. Tal parece que las personas que han estado al borde de la muerte tienen historias muy similares que contar.

Raymond Moody, médico, autor del libro *Life after Life* [La vida después de la vida] (que se han vendido cerca de siete millones de ejemplares) hace la observación:

A pesar de la amplia variedad de circunstancias que rodean los casos de EUM y de los diferentes tipos de personas que pasan por ellas, no es menos cierto el hecho de que hay una sorprendente similitud entre los relatos de las experiencias en sí mismas. Es más, las semejanzas entre varios informes son de tal grado que puedo fácilmente tomar casi quince elementos aislados que son recurrentes una y otra vez en la gran mayoría de las narraciones que he recopilado.[6]

Esto es especialmente significativo en que muchas de las investigaciones recientes han sido con personas que no han leído acerca de las EUM o hablado con otras que hayan tenido experiencias similares. Por cierto, muchas personas entrevistadas por libros como *Life after Life* pensaban que sus experiencias eran únicas.

El problema con muchas experiencias, por más reales que parezcan, es que no son estrictamente bíblicas. Un terrible ejemplo es el de un libro llamado *Embrazed by the Light* [Abrazado por la luz], que ha tenido muchas ventas, en el que las experiencias del escritor en el cielo desafía muchas enseñanzas cristianas básicas, como la naturaleza e identidad de Cristo. La Biblia debe ser nuestro punto de referencia para entender y juzgar dichas experiencias, no al contrario. Si comenzamos usando las EUM para comprender la Biblia, estaremos perdidos en una teología que nos llevará a cualquier parte, porque las mismas pueden ser tan desorientadoras como fascinantes.

Corrado Balducci, un teólogo cuyas especialidades son en demonología y lo paranormal, fue citado recientemente: «Estas visiones después de la muerte pueden tenerse como buenas, pero no podemos pasar esos límites. No pueden considerarse pruebas del más allá porque dichas pruebas sólo nos vienen mediante la Palabra de Dios[...] Dios quiere nuestra fe. Si alguien cree en la vida después de la vida simplemente porque tuvo tal experiencia, está cometiendo un grave error».[7] Si las EUM nos llevan

---

6   Raymond A. Moody, Jr., *Life after Life: Actual Case Histories that Reveal There Is Life after Death* [Vida después de la vida: Historias de casos verídicos que revelan que hay vida después de la muerte], Bantam Books, New York, 1975, p. 21.

7   Naomi Cutner, *et al.* «At the edge of eternity» [Al borde de la eternidad], *Life*, marzo de 1992, p. 71.

hacia Jesús, ¡qué bueno! Si nos tranquilizan llevándonos a una falsa paz respecto a la muerte y al morir, son un terrible engaño.

Sin embargo, mi intención al traer a colación este punto es que las investigaciones sobre las EUM *generalmente*, en el sentido amplio, autentican la enseñanza de la Biblia sobre la muerte y el cielo, en cuanto a que casi toda EUM incluye la aparición de un ser o seres de luz. Dios. Jesús. Ángeles. No obstante, en el caso donde una EUM contradice lo que sabemos mediante la Biblia, cualquiera que sea ese ser, es seguro que se trata de un ángel de las tinieblas disfrazado de ángel de luz.

Los niños y las EUM. Las EUM más asombrosas son las de los niños pequeños. Diana Komp, una oncóloga y profesora de pediatría en la Universidad de Yale, no inició su vida adulta como creyente. «Cuando estaba en la escuela de medicina», contó en entrevista para la revista *Life*, «estaba vagando en alguna parte de ese nebuloso espectro entre agnóstica y atea». Sus encuentros con niños con enfermedades terminales, de acuerdo al artículo de *Life*, «desafió todo eso. Ella ahora escribe de una manera abiertamente cristiana acerca del uso de lo que ha aprendido para ayudar a los niños moribundos y a sus familias en la preparación para la muerte».[8]

Al principio de su carrera médica, Komp se sentó a esperar con la familia de un paciente que se encontraba en los últimos estadios de leucemia. Komp relata el momento de la muerte de esa niña: «Ella tuvo la energía final para sentarse y decir: "Los ángeles... son tan hermosos. Mami, ¿puedes verlos? ¿Puedes escuchar sus cantos? Nunca había escuchado canciones tan hermosas"».[9] Los ángeles estaban llevando su pequeña alma ante la presencia de Dios.

---

8   Cutner, 71
9   Cutner, 68.

CUANDO MUERE UN SER QUERIDO:
ÁNGELES DE PROTECCIÓN Y CONSUELO

Algunas veces las personas ven ángeles cuando están a punto de morir. Otras, los ángeles dan un sentimiento de consuelo a aquellos que se quedan aquí. Un miembro de mi iglesia, Mike Lambly, me escribió acerca de su experiencia con su pequeña hija Katherine, que había nacido unos pocos meses antes.

Katherine nació pesando apenas una libra y nueve onzas, y la llevaron rápidamente a la unidad de neonatales. Se veía perfectamente, cada pequeño dedito y uñita estaban en su lugar, sólo que en miniatura. Nos sentíamos felices de que estuviera viva. Y había esperanzas... esperanza de que se diera un milagro.

Llegaron las tarjetas de felicitaciones, flores, amorosas cartas y notas de ánimo y oraciones. Y cada día que Katherine vivía era un milagro. Tres días. Luego cinco. Después siete. Los doctores estaban maravillados.

Una semana después de su nacimiento, decidí ir a ver a Katherine durante el día en medio de mis llamadas de ventas. Mientras caminaba por los pasillos del hospital hasta la unidad de neonatal, pensé en mi pequeñita bebé y la larga lucha que tenía delante de ella. Llegué a la unidad de cuidados especiales y me puse el traje específico. Mientras me subía las mangas para llevar a cabo el obligatorio lavado de brazos desde los dedos a los codos, volví la cabeza para mirar a través de la enorme ventana de vidrio para ver a Katherine durmiendo en su incubadora y echar un vistazo a los demás bebés.

Volví a mirar a Katherine mientras seguía restregando mis manos. De pronto, me quedé sin movimiento frente al lavabo, pálido, ante la vista de dos figuras muy grandes que estaban de pie a cada lado de su incubadora. Brillaban con la luz más intensa como nunca antes vi. No podía verles las caras como para determinar si se trataban de hombres o mujeres, pero cuando comencé a moverme, supe que eran ángeles y tenía la certeza de que estaban ahí para proteger a mi hija. La duración de su aparición fue muy breve y, a pesar de ello, pareciera como si en ese momento el tiempo se hubiera detenido para siempre.

Caminé hacia la incubadora y vi a Katherine durmiendo ahí, plácidamente, con su pequeña gorrita puesta para mantenerla caliente. Le dije que todo saldría bien y que no sólo Jesús la amaba, sino que tenía unos ángeles que la cuidaban y protegían. Y que todo iba a estar bien.

Pero al día siguiente, Katherine murió. Tuvimos un maravilloso servicio memorial lleno de paz, pero en los días subsiguientes, comencé a cuestionar al Señor: «¿Por qué enviaste a esos ángeles? Pensé que estaban allí para proteger a mi hija, para guardarla segura mientras creciera».

Estoy seguro que no fue coincidencia que Jeanne y yo hubiéramos visto apenas dos semanas antes a Billy Graham en la televisión. Su tema: los ángeles. El creyente, dijo, nunca está fuera del cuidado de Dios. Aun en nuestra muerte provee ángeles para escoltarnos hasta su presencia. Sí, los ángeles que visitaron la incubadora de Katherine tenían una misión, pero no sólo era protegerla. Más importante aún, vinieron para llevarla ante Jesús.

Los ángeles vinieron por su esposo. Una amiga de una amiga, Sylvia Wentworth, me envió esta maravillosa historia acerca de una visita angélica y la muerte de su esposo:

Mi esposo no se había estado sintiendo bien durante los últimos tiempos. Una tarde, ya avanzado el 1974, se fue a la cama bastante temprano mientras que yo me quedé despierta hasta pasada la medianoche. Debe haber sido alrededor de la una de la mañana cuando finalmente me fui a reunir con él. Mientras me deslizaba en silencio bajo las sábanas, me volví hacia mi esposo. Su espalda estaba frente a mí.

Fue allí, en el lado de la cama de mi esposo, que vi una figura, una enorme figura de un hombre parado, mirando a mi esposo. Tenía una estatura como de unos siete u ocho pies. Realmente no estoy segura. Sólo sé que era un ser enorme, pero no gordo.

Tenía sus manos unidas sobre su corazón y recuerdo cómo miraba a mi esposo que dormía. Nunca miró en dirección a mí.

Lo que más especialmente me conmovió fue la intensa compasión en sus ojos. El ángel me recordó a una madre joven viendo la cara de su primer recién nacido. Había mucho amor. Jamás había sentido ni visto nada parecido.

Si bien sé que era grande, no puedo decir con exactitud qué traía puesto, pero no era un traje. Era algo amplio, como una túnica. Tampoco estoy segura de si era blanca o quizás un tipo de amarillo. Sin embargo, hay algo que recuerdo bien sobre este ángel y es que casi podía ver a través de él.

No estoy segura de estos detalles por sus ojos. La única cosa que puedo verdaderamente recordar son sus ojos amorosos.

Todo esto sucedió en unos pocos segundos. Mis ojos parpadearon y ya se había ido. Pero entonces supe, en ese momento, que mi esposo no estaría conmigo por mucho tiempo más. Por cierto, dos meses después, un viernes por la tarde, mi esposo cayó en coma. A los pocos días, pasó a estar con el Señor. Tuve tanta paz porque sabía en el fondo de mi corazón, por la aparición del ángel, que mi esposo estaría pronto en el cielo.

Ángeles consoladores de todo tipo. Otra conocida mía, Kelli, vio un ángel en un sueño, pero este sueño fue tan real para ella como el ángel al lado de la cama, en el encuentro que tuvo Sylvia.

Cuando me hice cristiana, a finales de 1990, me encontraba con una carga especial por mi abuelo envejecido. Varios derrames cerebrales lo habían confinado a estar en cama en una casa de ancianos. No podía hablar.

A pesar de sus limitaciones, decidí contarle acerca de Jesús y la manera en que había cambiado mi vida. Cuando le explicaba cómo Jesús estaba en mi corazón, le preguntaba si él tenía una relación con Dios. Sus ojos estaban cerrados.

«Si Jesús está en tu corazón, abuelo, abre tus ojos y mírame». ¡Y él lo hizo! Y sus ojos se llenaron de lágrimas. Yo también lloré, porque estaba muy feliz.

Unas cuantas semanas más tarde, la misma noche antes de

que él muriera, tuve un sueño acerca de un enorme ángel de cabellos dorados y con alas extendidas hacia el cielo. Mi familia y yo cruzábamos el océano en un barco grande cuando una voz anunció que alguien había muerto. Era mi abuelo.

En ese momento miré hacia arriba al ángel que cubría el cielo. Estaba deteniendo los poderes de las tinieblas, era como un escudo que nos protegía a quienes estábamos abajo. Nada podía contra él. Mirando con mucho cuidado, primero hacia la izquierda, luego hacia la derecha, se volvió hacia mí y me dijo: «No tengas miedo. Tu abuelo va a estar con el Señor». El ángel habló con tal calma y voz suave, que yo sentí una paz especial en su presencia.

Al día siguiente murió mi abuelo.

Una amiga íntima, Susan Hunt, me contó acerca de una experiencia igualmente poderosa cuando hace un año murió su abuela.

Mi abuela pasó menos de una semana en el hospital antes de morir. Fui volando hacia allá para acompañarla y verla, y ella estuvo alerta y lúcida hasta el final. Recitó el Salmo 23 (su pasaje favorito) ante la familia y su pastor. Todos estábamos reunidos a su alrededor en su cama durante las últimas horas de su vida. Fue muy conmovedor y hermoso.

Como había tantos miembros de la familia presentes, teníamos que turnarnos para visitarla. Yo tuve dos turnos. Durante esas dos breves visitas, mientras estaba sentada en el alféizar de la ventana cerca de su cama, noté algo con el rabillo de mi ojo. Al momento lo descarté, porque pensé que mis lágrimas de algún modo distorsionaban la luz en la habitación. Pero puedo recordar claramente haber visto una brillante, blanca, casi azuleada, «luz», con un elegante movimiento ondulante como si una suave brisa echara a volar una delgada cortina. Recuerdo haber pensado en ese momento lo extraño que era haber visto lo mismo en idéntico lugar, dos veces. Pero cuando volví mi cabeza para mirarla directamente, el aura se había desvanecido.

Mi abuela murió ese día.

Dos meses más tarde, la hermana menor de mi madre me

preguntó si había visto el ángel en el cuarto de la abuela en el hospital la tarde en que murió. No le había dicho a nadie lo que vi. Ni tampoco mi tía lo hizo. «¿Estaba en la esquina del cuarto, al lado de la cabecera de su cama?», le pregunté.

«Sí», exclamó ella. Es más, vio la evidencia del ángel aparecer y desaparecer durante dos horas.

Describí en detalle lo que vi y le pregunté si coincidía con lo que ella vio.

«Sí», me dijo ella. También mencionó, antes de que hubiera dicho nada al respecto, que cuando ella miraba directamente la luz azulácea, esta desaparecía.

REFLEXIONES SOBRE NUESTRA MÁS GRANDE LUZ, JESÚS

Sólo una pequeña minoría ha tenido EUM. Aun así, el estar a punto de morir es únicamente un retraso temporal. Tarde o temprano todos tenemos que morir y llegar a nuestro destino final: ya sea el cielo o el infierno.

Pero las experiencias en el umbral de la muerte son reales. Aun los respetables investigadores médicos lo han reconocido, si bien hay algunos estudios que sugieren que las EUM se pueden explicar fisiológicamente. Aparte de eso, a veces le suceden cosas inusuales a la gente al momento de morir. Ven seres de luz; a veces ven amistades y familiares que ya han muerto. Pero las EUM no nos dicen nada acerca de quién es Dios y qué espera de nosotros. Cuando mucho, las EUM son clínicorreligiosas que nos sugieren algo sobre la vida después de la muerte.

Sólo la Palabra de Dios puede darnos algunas ideas acerca de la vida y la muerte, del cielo y el infierno, y aun así la lectura sobre los ángeles y las experiencias en el umbral de la muerte tiene que hacernos pensar. Acerca de Dios. Acerca de nosotros mismos.

La mayor «prueba» de la vida después de la muerte no son los ángeles. Es la resurrección de Jesús. El apóstol Pablo, un hombre bastante educado y quien fuera en una ocasión el gran oponente del cristianismo, conoció a Jesús personalmente. Esto cambió su vida. Y también cambió la historia.

Pablo escribe de Cristo: «Y que fue sepultado, y que resucitó al tercer día[...] y que apareció a Cefas, y después a los doce. Después apareció a más de quinientos hermanos a la vez, de los cuales muchos viven aún[...] Después apareció a Jacobo; después a todos los apóstoles; y al último de todos, como a un abortivo, me apareció a mí» (1 Corintios 15.3-8). El Cristo resucitado es la piedra angular del cristianismo.

Mi confianza no está en los ángeles, con todo y lo agradecido que estoy por su invisible intervención en mi vida y por todos lo relatos que les he contado hasta aquí en este libro. Los ángeles no median en mi salvación. Fuera del nombre de Jesús no hay otro nombre dado a los hombres en que podamos ser salvos (Hechos 4.12).

Saber que los ángeles nos llevarán desde nuestro lecho de muerte hasta el seno de Abraham, hasta la puerta del cielo, es asunto de pocas consecuencias ante la luz brillante de la gloriosa resurrección de Cristo. Por eso es que Pablo escribe con tanta confianza: «Sorbida es la muerte en victoria. ¿Dónde está, oh muerte, tu aguijón? ¿Dónde, oh sepulcro, tu victoria?» (1 Corintios 15.54-55). Sin Jesús, no habría resurrección. Sin Jesús, no habría esperanza. Sin Jesús, no habría ángeles.

«Él es la imagen del Dios invisible, el primogénito de toda creación. Porque en Él fueron creadas todas las cosas, las que hay en los cielos y las que hay en la tierra, visibles e invisibles; sean tronos, sean dominios, sean principados, sean potestades» (Colosenses 1.15-16). O ángeles.

CAPÍTULO SIETE

ÁNGELES CON DISFRAZ

No os olvidéis de la hospitalidad, porque por ella algunos, sin saberlo, hospedaron ángeles. **Hebreos 13.2**

¿Ángeles con disfraz de humanos? La idea es un poco frustrante. Lo digo porque me encuentro con extraños constantemente... ¡y algunas veces no soy muy amable que digamos!

A través de «ángeles inesperados» Dios nos mantiene adivinando siempre. Es prueba de que Él no quiere que lo sepamos todo, que lo entendamos todo, que lo expliquemos todo. La casualidad, diría alguien, es la forma que tiene Dios de hacer milagros anónimamente.

ABRAHAM Y LOT

Los ángeles disfrazados aparecen una y otra vez en la Biblia, especialmente en el Antiguo Testamento. Uno de los ejemplos más notables lo encontramos en Génesis 18—19, el relato de Abraham y el anuncio profético del nacimiento de Isaac seguido por el relato de Lot y la destrucción de Sodoma y Gomorra.

La narración comienza con tres «varones» que aparecen a Abraham cerca del gran encinar de Mamre: «Y alzó sus ojos y miró, y he aquí tres varones que estaban junto a él; y cuando los vio, salió corriendo de la puerta de su tienda a recibirlos, y se postró en tierra» (Génesis 18.2).

En el espíritu del protocolo semítico, Abraham se postró delante de ellos y les ofreció alimentos. «Traeré un bocado de pan», les dijo Abraham.

Así que Abraham se dio prisa y entró en la tienda para hablar con Sara, su anciana esposa. «Toma pronto tres medidas de flor de harina», le dijo, «y amasa y haz panes cocidos». Luego corrió al ganado y seleccionó un becerro tierno y se lo dio a su siervo que se apresuró a prepararlo. Cuando Abraham preparó el pan y el becerro delante de ellos, sus invitados realmente comieron la comida.

¡Qué disfraz! No sólo los ángeles parecían humanos, sino que además comieron con Abraham. Pero su visita no tenía como único objetivo disfrutar una comida amistosa. Había un par de mensajes que ardían en sus espíritus.

El primer mensaje era acerca del milagro del hijo de Abraham, Isaac. Los ángeles anunciaron que Abraham y su esposa Sara, que hacía mucho no tenía edad para quedar encinta, tendrían un hijo. Cuando Sara escuchó a escondidas la predicción, dudó y se rió con sarcasmo, pero Dios siempre es el que ríe último. Cerca de un año más tarde, cuando el niño milagro nació, Abraham le dio el nombre de Isaac, que significa «risa». Sara dijo: «Dios me ha hecho reír, y cualquiera que lo oyere, se reirá conmigo» (Génesis 21.1-7).

El *segundo mensaje* lo dieron como si fuera una ocurrencia tardía. Cuando los ángeles estaban a punto de partir, miraron en dirección a Sodoma y el Señor se dijo: «¿Encubriré yo a Abraham lo que voy a hacer?[...] el clamor contra Sodoma y Gomorra se aumenta más y más, y el pecado de ellos se ha agravado en extremo, descenderé ahora, y veré si han consumado su obra según el clamor que ha venido hasta mí».

Los dos mensajeros (no se nos dice qué pasó con el tercero) llegaron a Sodoma por la tarde, probablemente el mismo día de la visita a Abraham. Cuando Lot los vio, los saludó con una reverencia de la misma forma que Abraham lo hizo e insistió en que se quedaran en su casa. Pero antes de que Lot y su familia se fueran a dormir, los hombres de la ciudad rodearon la casa de Lot. Le gritaron a Lot: «¿Dónde están los varones que vinieron a ti esta noche? Sácalos, para que los conozcamos [tener relaciones sexuales]». ¡Qué desagradable situación! Poco habrían hecho los sodomitas si hubieran sabido que estaban tratando con ángeles.

Lot trató de hacer entrar en razón a los hombres del pueblo, para que no hicieran tal maldad, y los misteriosos mensajeros vinieron a rescatarlo. «Entonces los varones», la Biblia los sigue llamando *varones*, «alargaron la mano, y metieron a Lot en casa con ellos, y cerraron la puerta». Ahora sabemos que eran ángeles.

«Y al rayar el alba», continúa la narración de la Biblia, «los ángeles daban prisa a Lot, diciendo: Levántate, toma tu mujer, y tus dos hijas que se hallan aquí, para que no perezcas en el castigo de la ciudad» (Génesis 19.15).

He dejado muchos detalles fuera de la narración con el fin de llamar su atención en algo: los ángeles mensajeros aparecen en forma humana, no obstante, la barrera entre su naturaleza angélica y su forma humana no está clara. Aparte del honor que Abraham y Lot les rindieron y el poder especial para cegar a Sodoma, difícilmente podemos decir si estos «varones» son, por cierto, ángeles. Este episodio del Antiguo Testamento ejemplifica el misterio de los ángeles y el enigma de la dimensión espiritual, algo que discutí con amplitud en el primer capítulo. La barrera entre el cielo y la tierra es confusa.

Además, incluso hay una sugerencia en el texto de que uno

de los ángeles era Jehová mismo. En el versículo diez del capítulo que leímos encontramos lo siguiente: «Entonces dijo: De cierto volveré a ti; y según el tiempo de la vida, he aquí que Sara tu mujer tendrá un hijo». Esta es sin duda una referencia velada al «Ángel del Señor», alguien a quien examinaremos con más detalle en el próximo capítulo.

MANOA Y SU ESPOSA

Un relato similar aparece en Jueces 13, la historia del nacimiento de Sansón. «Y había un hombre de Zora, de la tribu de Dan, el cual se llamaba Manoa; y su mujer era estéril, y nunca había tenido hijos. A esta mujer apareció el ángel de Jehová, y le dijo: He aquí que tú eres estéril, y nunca has tenido hijos; pero concebirás y darás a luz un hijo. Ahora, pues, no bebas vino ni sidra, ni comas cosa inmunda. Pues he aquí que concebirás y darás a luz un hijo; y navaja no pasará sobre su cabeza» (Jueces 13.2-5). Este es el principio de la nefasta historia de Sansón y su larga cabellera.

«Y la mujer vino y se lo contó a su marido, diciendo: Un varón de Dios vino a mí». Y luego ella añadió, y noten estas palabras: «*cuyo aspecto era como el aspecto de un ángel de Dios, temible en gran manera*; y no le pregunté de dónde ni quién era, ni tampoco él me dijo su nombre» (Jueces 13.6).

¿Le habrá sido poco difícil a Manoa creer la historia de su esposa? No se nos dice, pero oró al Señor para que el ángel regresara y le enseñara cómo criar a este hijo especial. Dios escuchó su oración y el ángel reapareció, pero, paradójicamente, no a Manoa. «Y el ángel de Dios volvió otra vez a la mujer, estando ella en el campo; mas su marido Manoa no estaba con ella» (Jueces 13.9). Ella tuvo que regresar corriendo a la casa para decirle a su esposo que el ángel había regresado. Y el ángel esperó ahí, en el campo.

«Mira que se me ha aparecido aquel varón que vino a mí el otro día», le dijo a Manoa su esposa [ella dice varón, no ángel].

De manera que Manoa se levantó y siguió a su esposa hasta

el campo. Y he ahí. El varón. El ángel. Esperando para hablar. «¿Eres tú aquel varón que habló a la mujer?»

«Yo soy», dijo el ángel.

Entonces Manoa le preguntó algunas cosas acerca del hijo que tendría. También le pidió que se quedara para comer con ellos.

El ángel del Señor le respondió: «Aunque me detengas, no comeré de tu pan». ¡Recuerden que sí comió con Abraham! «Mas si quieres hacer holocausto, ofrécelo a Jehová». En este momento, el autor agrega una pequeña nota que en algunas versiones aparece entre paréntesis: «Y no sabía Manoa que aquél fuese ángel de Jehová».

Así que Manoa le preguntó: «¿Cuál es tu nombre?»

El ángel del Señor respondió gravemente: «¿Por qué preguntas por mi nombre, que es admirable?»

¡Qué maravilla! Me gustaría saber qué sentía Manoa en ese momento. Siguiendo la sugerencia del ángel y sin hacer más preguntas, Manoa tomó un cabrito junto con una ofrenda de granos, y los ofreció sobre una peña a Jehová. La Biblia nos dice que mientras Manoa y su esposa miraban, el ángel del Señor ascendió al cielo en medio de las llamas del altar.

De nuevo, ¡qué maravilla! Porque esto sucedió: «Ante los ojos de Manoa y de su mujer, los cuales se postraron en tierra. Y el ángel de Jehová no volvió a aparecer a Manoa ni a su mujer. Entonces conoció Manoa que era el ángel de Jehová».

«Ciertamente moriremos», le dijo a su esposa, «porque a Dios hemos visto».

Pero su esposa, pensando de una manera más razonable, le recordó que si Dios hubiera querido matarlos no estarían ahora discutiendo sobre la forma en que el ángel ascendió al cielo en el humo del holocausto.

Manoa mansamente consideró que su esposa tenía razón.

Y la mujer dio a luz a un niño y le puso por nombre Sansón. Seguramente se darán cuenta de que adorné un poquito la historia, y espero no haberlos ofendido con ello. Mi propósito es que vean el misterio en la aparición de ángeles, y el humor de nuestra ignorancia e imposibilidad para entender por completo lo que está sucediendo.

Como indicara recientemente un escritor del *Guideposts*: «No es difícil ver por qué todo el mundo ama el misterio. Y, ¿por qué no? La vida en sí misma es un misterio, una cuestión de sorpresa. La fe en Dios es un misterio, una cuestión de sorpresa, reverencia y de confianza en las cosas que no se ven».[1]

En el relato de los padres de Sansón, el ángel —que resultó ser el ángel del Señor— estaba tan bien disfrazado que Manoa y su esposa no tenían la seguridad de si se trataba de un hombre o un ángel. No sólo está el hecho de que hay una separación muy tenue entre ángeles y seres humanos, sino que a veces también existe entre ángeles y Dios. ¿Era un ser humano? ¿Era un ángel? ¿Era Dios mismo? Quizás nunca sepamos. Y en realidad, hasta cierto sentido, no importa. Lo que de verdad importa es el mensaje, el momento. Que Dios ha hablado. Nuestras vidas cambian para siempre y Dios se lleva todo el crédito y la gloria.

Los ángeles disfrazados, o «ángeles de casualidad», tienen lo que pudiéramos llamar «corporalidad». Los ángeles con disfraz de humanos son como antropomorfismos holográficos. Según discutimos en el capítulo uno, el lenguaje humano simplemente es inadecuado para describir a Dios y a los ángeles. Así que para ayudarnos, Dios describe su persona, y a los ángeles, en la Biblia, como que tuviera ciertas cualidades humanas que no deben interpretarse en un sentido estrictamente literal.

En el Salmo 11.4, por ejemplo, se nos dice: «Jehová está en su santo templo[...] *sus ojos* ven, sus párpados examinan a los hijos de los hombres» (cursivas añadidas). Y en el Salmo 89.13, el escritor le dice a Dios: «*Tuyo es el brazo* potente; fuerte es *tu mano*, exaltada *tu diestra*». Esto no significa que Dios tiene ojos, brazos y manos; el lenguaje para describirlo se emplea de manera que podamos entender. Esta se le llama «antropomorfismo».

Un diccionario teológico dice que el antropomorfismo «designa la visión que concibe a Dios como si tuviera *forma humana*[... y] en un sentido más amplio[...] *atributos y emociones humanas*». En forma similar, los ángeles adoptan forma humana,

---

1 *Angels Among Us*, p. 11.

no sólo para que nosotros los veamos, sino porque en su pura forma celestial son tan enceguecedoramente poderosos que quizás nunca llegaríamos a pasar el poder del momento para escuchar el mensaje del día. Los ángeles con forma humana son como antropomorfismos holográficos.

HISTORIAS VERDADERAS DE «ÁNGELES INESPERADOS»

Un extraño en las montañas. Karol Akimoff, cuyo esposo es el director de Juventud con una Misión (JCM) de ministerios eslavos, me escribió acerca de su experiencia:

Esta historia ocurrió en el verano de 1966. Wedge y Shirley Alman eran líderes de nuestro equipo de servicio de verano de la JCM. Atravesamos la escabrosa región montañosa de América Central en una caravana de siete vehículos. Y resultó ser que era la peor época del año: la temporada de lluvias tropicales.

Se nos comisionó como líderes en una misión de dos meses para alcanzar los pequeños pueblos del área. Y también teníamos la esperanza de ministrar en algunas de las prisiones locales.

Desde temprano en la mañana iniciábamos nuestro recorrido por el precario camino de la montaña. Era la temporada de lluvias. Y en múltiples ocasiones durante el día teníamos que bajarnos de los automóviles, camionetas y microbús para juntos aplicar nuestra fuerza para empujar y orar porque salieran nuestros vehículos del terrible lodazal que nos llegaba a las pantorrillas. ¿Cuántas veces nos quedamos parados ese día? ¿Cuántas sandalias y zapatos se salieron de nuestros pies y desaparecieron dentro de aquel espeso lodo? Nos demorábamos más de la cuenta.

La noche nos encontró exhaustos y todavía empujando nuestros vehículos hacia el frente, arriba y sobre la montaña. Pasar la noche ahí sería impensable, al menos para estos novatos misioneros norteamericanos. La oscuridad era intensa. ¿Acaso pararía la lluvia? Agua y rocas bajaban por los lados de la montaña. Nos preguntábamos si pararían antes de que nos golpearan. Y sin duda los letreros que estaban a lo largo del camino previniéndonos sobre las avalanchas no eran nada alentadores.

De repente, un vehículo detrás del otro llegó a pararse por completo. El camino desapareció y en su lugar nos enfrentamos con un lado completo de la montaña que se desprendió desde alguna parte arriba de la montaña.

El viaje exploratorio en nuestros jeeps reveló que no había forma de negociar con la avalancha. Era imposible seguir adelante, hasta el día siguiente no llegaría el equipo de carreteras para abrirnos camino.

Wedge nos pidió a todos que saliéramos y después de varios minutos de intensa oración volvimos a nuestros vehículos asignados y nos pusimos lo más cómodos que pudimos para dormir sentados, creyendo que la mañana traería más esperanza.

Otra noche en el «JCM Hilton». Tiritábamos mientras subíamos las ventanas de los vehículos y cerrábamos las puertas con candado. El puro cansancio nos relajaría para dormir esa noche. Los minutos pasaron.

De pronto, un agudo golpe en la ventana nos asustó. Un hombre envuelto en una manta le hacía señas a Shirley, quien bajó la ventanilla temblando. Wedge estaba en otro auto con algunos de los muchachos y nuestro vehículo estaba lleno de muchachas.

Estaba muy emocionado y hablaba español. Haciendo gestos con las manos, nos urgía a mover nuestros vehículos hacia otro sitio inmediatamente. Si nos quedábamos ahí, corríamos mucho peligro. Maniobrando hasta el lugar que nos indicó, nos consoló el hecho de que el buen hombre nos había guiado a un lugar seguro.

Cuando regresamos para darle las gracias, había desaparecido tan misteriosamente como apareció.

Nadie durmió mucho durante el resto de la noche. Las rocas nunca dejaron de bajar rodando de la montaña y el agua intensa no paraba. Con efectos de sonido como estos, quién puede dormir.

De lo que pudiéramos decir del área, no había lugar para que él se hubiera ido. Es más, no había lugar del cual hubiera podido venir. Ningún vehículo. Ninguna casa ni habitación. ¡Nada! «¡Ese hombre debe haber sido un ángel!», convenimos todos.

A la mañana siguiente, en la neblinosa luz del nuevo día, tuvimos una gran vista de nuestra ubicación y de nuestro predicamento. Estábamos estacionados en los alto de un pico de una montaña, un profundo cañón por un lado y un desfiladero de la montaña hacia el otro.

Y en el camino del frente, donde paramos a orar la noche anterior, había un montículo enorme, causado sin duda por las fuertes lluvias. La mitad de la montaña delante de nosotros se encontraba en el mismísimo lugar en el que nos estacionamos menos de diez horas antes.

Ahora estábamos seguros de que habíamos visto a un ángel.

«Quizás un ángel». Una miembro de nuestra iglesia, Anna, me ha contado varios relatos sobre ayuda angélica; uno de ellos, acerca de su experiencia en Rumanía, lo presenté en el capítulo 5. Anna tituló esta experiencia «Quizás un ángel», porque estos «buenos samaritanos» a lo mejor fueron ángeles disfrazados.

Tuve al menos dos experiencias excepcionales. En ese momento me impactaron sólo como maravillosas y aún tengo que decidir si eran ángeles.

La primera ocurrió en Varsovia, Polonia, en febrero de 1986. Me encontraba allá con otras personas en una visita relacionada con el ministerio. También hacíamos algunas compras para nuestra organización ministerial con base en Austria, porque los precios eran mucho más bajos en Europa oriental durante ese tiempo.

Tratábamos especialmente de comprar a cualquier precio una mesa de dibujo para que uno de los miembros de nuestro equipo pudiera comenzar a publicar un periódico mejor. Encontramos exactamente lo que buscábamos, pero por cualquiera que haya sido la razón, el gerente de la tienda rehusaba venderlo. Dijo que era sólo para exhibición y que no podía venderlo, práctica común en los países comunistas.

Estábamos a punto de irnos de la tienda con las manos vacías, cuando mis ojos captaron a un hombre viéndonos desde afuera de la tienda. Luego caminó, entró a la tienda, habló con el gerente por un par de segundos. Unos minutos más tarde salimos de la tienda con nuestra mesa de dibujo muy bien empacada y envuelta.

Reconozco que esto pareciera una cosa muy insignificante, pero después de realizar trabajo ministerial extensivo en naciones comunistas bajo situaciones tensas, cada pequeña provisión especial del Señor resulta inolvidable.

El segundo incidente ocurrió al año siguiente en la primavera. Me encontraba en Bulgaria con otra mujer joven, una de mis compañeras de ministerio. Habíamos manejado durante un buen tiempo hacia la ciudad de Varna, en el Mar Negro, y la aguja de la gasolina se acercaba al punto de vacío. La noche llegaba.

No había muchas estaciones de servicio en las calles de Bulgaria comunista. Las poquísimas que existían estaban abiertas en horarios irregulares y no necesariamente al caer el día. Cada vez más ansiosas, paramos en una gasolinera. Estaba abierta.

Pero cuando paré junto a la acera, la mujer que atendía el negocio rehusó venderme gasolina porque mis cupones eran para gasolina con un índice de octano 96 y ella sólo tenía de 93. La burocracia en Bulgaria estaba tan arraigada, que ni aun mi oferta de los cupones más valiosos por la gasolina más barata podían penetrar la cortina de hierro de su mente.

Ya había perdido toda esperanza cuando un sedán negro entró a la estación de servicio y se paró detrás de nosotras. Me sorprendí cuando vi que no se estacionó junto a los surtidores de gasolina. En cambio, un hombre salió del carro, caminó hacia mí y en perfecto inglés me preguntó: «¿En qué puedo servirla?» Recuerden, estaba en un país comunista donde, debido al miedo aplastante, la ayuda de extraños es virtualmente nula.

De todos modos, le expliqué que tenía los cupones con el índice de octano incorrecto y que por eso la encargada de la gasolinera no me vendía gasolina. El extraño se volvió hacia la encargada, habló con ella durante un par de minutos en búlgaro y se fue. Sin ninguna otra objeción, la mujer procedió a vendernos toda la gasolina que necesitábamos. Y seguimos nuestro camino.

¿Algunas vez han considerado, solo por un momento, que han llegado tan lejos como hasta ahora gracias al trabajo invisible de algún ángel anónimo? ¿Buenos extraños nocturnos? Una vez escuché a un predicador decir: «Entre más creemos en coincidencias, pareciera que más coincidencias ocurrieran». ¿Qué sucedió en tu vida hoy o dos días atrás que no se pueda explicar sin hablar acerca de Dios o de sus ángeles? Como lo expresa Helen Steiner Rice: «En las ocupadas avenidas de la vida, nos encontramos con ángeles inesperados».

CAPÍTULO OCHO

ARCÁNGELES, BESTIAS Y OVNIS

Y sus aros eran altos y espantosos, y llenos de ojos alrededor en las cuatro. Y cuando los seres vivientes andaban, las ruedas andaban junto a ellos; y cuando los seres vivientes se levantaban de la tierra, las ruedas se levantaban.

Ezequiel 1.18-19.

Ángeles extraños e insólitos. La Biblia está llena de ellos. Es más, la Biblia describe a los ángeles de manera muy diferente a la que típicamente imaginamos. En el Antiguo Testamento, por ejemplo, una buena cantidad de los pasajes sobre los ángeles hablan acerca del «ángel de Jehová».

EL ÁNGEL DEL SEÑOR

¿Quién es este misterioso visitante que aparece con tanta frecuencia a mujeres y hombres en el antiguo Israel? Una de las narraciones más sobresalientes la encontramos en Éxodo 3 en la historia de la zarza ardiente.

Moisés apacentaba las ovejas de su suegro, Jetro. También atendía sus negocios. Sin duda, no andaba en busca de ángeles mientras conducía las ovejas a la parte más retirada del desierto, Horeb, la montaña de Dios.

De repente, en un hecho bastante curioso, «se le apareció *el Ángel de Jehová* en una llama de fuego en medio de una zarza; y él miró, y vio que la zarza ardía en fuego, y la zarza no se consumía» (Éxodo 3.2, cursivas añadidas). Entonces hizo lo que la mayoría habríamos hecho. Se dijo: «¡Qué cosa tan extraña! Voy a ver por qué este arbusto no se quema» (Éxodo 3.3, parafraseado).

El relato, por supuesto, es acerca de cómo Dios llama a Moisés para ser el gran libertador del pueblo judío, el que lo sacaría de la opresión de la esclavitud de Egipto. También es, en segundo lugar, acerca de cómo Dios nos habla de maneras insólitas. En este caso, Dios se revela a través de «*el Ángel de Jehová*», su mensajero, el *mal'akh Yahweh* en hebreo.

¿Quién era este ser? ¿Acaso era Dios mismo? Si así fuera, ¿por qué la Biblia lo llama ángel? Pero si no era sólo un ángel, ¿por qué tal parece que presenta al «Ángel de Jehová» como Dios mismo? En Éxodo 3.4, por ejemplo: «Viendo Jehová que él iba a ver, lo llamó *Dios* de en medio de la zarza, y dijo: ¡Moisés, Moisés!»

Supongo que esto puede explicarse por el simple hecho de que los ángeles están tan cerca de Dios, y lo representan de manera tan directa y precisa, que es fácil confundir al ángel de Jehová con Dios mismo. En otras palabras, el ángel de Jehová realmente era un ángel. Así opinaban los judíos antiguos, quienes se referían al ángel de Jehová como «el ángel de su faz» y «la imagen del Dios invisible». Una afirmación del Talmud, el libro judío de religión más antiguo, declara: «El Ángel de Jehová está unido con el supremo Dios por la naturaleza de unidad».[1]

Siguiendo esta tradición judía, los católicos en su mayoría ven al ángel de Jehová como un *representante* de Dios, un ángel real. Los protestantes, por su parte, generalmente creen que el ángel de Jehová fue una manifestación de Dios mismo o el Mesías haciendo apariciones visibles siglos antes de su encarnación, de ahí que se hable de la «preencarnación de Cristo». Juan Calvino escribió: «Me inclino a afirmar con los antiguos escritores [los autores bíblicos], que en aquellos pasajes en los que se establece que el ángel de Jehová apareció a Abraham, Jacob y a Moisés, *Cristo era ese ángel*».[2]

Estoy de acuerdo con Calvino. Creo que el ángel del Señor era Jesús en su forma preencarnada. No obstante, el Antiguo Testamento no nos dice esto directamente, pero Zacarías 3 se acerca bastante. En una visión, el profeta Zacarías ve al sumo sacerdote Josué (no al primer Josué de Jericó) delante del ángel de Jehová, quizás en el cielo. Josué estaba vestido con ropas viles, simbolizando el pasado pecaminoso de Israel.

Zacarías se escribió después del exilio judío en Babilonia, que como todo el mundo sabe, fue la terrible consecuencia de la idolatría de Israel y el pecado contra Jehová. Así que las ropas de Josué representaban todo lo malo del pasado de Israel. Los hijos pródigos de Dios realmente no tenían derecho a estar ante su santa presencia. Y Satanás lo sabía. Estaba ahí mismo acusando a Josué y a todo el pueblo judío que este representaba. Pero el ángel de Jehová les dijo a los que estaban delante de él: «Quitadle esas vestiduras viles». Luego, volviéndose a Josué, le dijo: «Mira que he quitado de ti tu pecado, y te he hecho vestir de ropas de gala» (Zacarías 3.4).

Este pasaje describe a la perfección el trabajo de Cristo, quien tomó nuestra degradación y vergüenza y, en un intercambio inconcebible, nos cubrió con las túnicas de su rectitud. Jesús es

---

1   Tomado del *Talmud*, según cita A.C. Gaebelein, *What the Bible Says about Angels* [Lo que la Biblia dice acerca de los ángeles], Baker Book House, Grand Rapids, MI, 1987, p. 20.

2   Calvino, p. 76, cursivas añadidas.

nuestro mediador, nuestro abogado, nuestro abogado defensor que se interpone entre las acusaciones de Satanás y el juicio del Padre. El apóstol Juan escribe: «Si alguno hubiere pecado, abogado tenemos para con el Padre, a Jesucristo el justo» (1 Juan 2.1).

De esta manera, basándonos en todo lo que sabemos del Nuevo Testamento acerca del trabajo y ministerio del ángel de Jehová, es bastante fácil hacer la conexión entre el ángel de Zacarías 3 y el Mesías, el Cordero de Dios que quita el pecado del mundo. El ángel de Jehová en el Antiguo Testamento es, creo yo, el mismo Señor Jesucristo apareciendo en forma preencarnada.

CARACTERÍSTICAS DE LAS HUESTES CELESTIALES

Si en verdad el ángel de Jehová es Dios mismo, está simplemente en la cumbre de la jerarquía celestial. Es el Supremo. En algún punto más abajo de la escala, un segundo distante, están los arcángeles.

🐦 🐦 🐦

Si el arcángel ahora, peligrosamente, desde atrás de las estrellas diera siquiera un paso hacia nosotros, nuestros corazones, palpitando cada vez más alto,
latirían hasta matarnos.
Rainer Marie Rilke
🐦 🐦 🐦

Arcángeles. «Arcángeles» viene de un término compuesto, en griego *archangelos* (muy parecido en castellano), y significa «ángel rector». Esta en realidad es una palabra bastante extraña en la Biblia: sólo aparece dos veces en el Nuevo Testamento. En la primera de estas dos referencias, la voz de un arcángel es la señal de la resurrección de los justos que han muerto: «Porque el Señor mismo con voz de mando, *con voz de arcángel*, y con trompeta de Dios, descenderá del cielo; y los muertos en Cristo resucitarán primero» (1 Tesalonicenses 4.16, cursivas añadidas).

En algunas versiones viene «*el* arcángel», que da la impresión de que hubiera sólo uno, pero eso no está tan claro en el original griego del Nuevo Testamento. Si hay jerarquías celestiales, si hay rangos de autoridad ante los ángeles, nos resulta razonable creer que hay muchos arcángeles, muchos «ángeles rectores».

Dos son los arcángeles mencionados en la Biblia. Uno es Miguel, cuyo nombre significa «¿quien es como Dios?» Judas nos dice que «el arcángel Miguel» disputó con el diablo por el cuerpo de Moisés (Judas 9). Este es el único otro lugar en el que la palabra «arcángel» aparece en las Escrituras, pero Miguel se menciona al menos diez veces más.[3] Como ya hemos visto, Miguel servía como príncipe o guardián en el destino del pueblo judío (véase Daniel 10.13,21), y el libro de Apocalipsis nos dice que «Miguel y sus ángeles» lucharon contra Satanás cuando este se rebeló en contra de Dios en medio del pretiempo (Apocalipsis 12.7).

El otro ángel en la Biblia que tiene nombre es Gabriel, que en hebreo significa «quien es como Dios» o quizás «Dios es grande» o también «hombre de Dios». Los eruditos están en desacuerdo acerca del significado exacto de su nombre. Lo que sí sabemos, sin embargo, es que Gabriel aparece a Daniel dos veces (Daniel 8.16; 9.21), en ambas ocasiones para interpretar visiones proféticas, y más tarde en el Nuevo Testamento a Zacarías, anunciándole el nacimiento de Juan el Bautista (Lucas 1.19).

La Biblia nunca llama arcángel a Gabriel, pero podríamos afirmar que es un «ángel rector» debido a sus cruciales tareas de revelar los planes redentores de Dios. Todas sus apariciones en la Biblia están ligadas con promesas acerca de la venida de el Mesías, siendo su más alta intervención la visita hecha a la virgen María al anunciarle que daría a luz al Salvador (Lucas 1.26-28). ¡Ah, qué mensaje! Si los ángeles lloran, ¡Gabriel debe haberlo hecho con esa tarea!

---

3 Para una lista completa de las referencias a Miguel, véase el índice temático de textos sobre ángeles en el Apéndice 3.

ᘐ ᘐ ᘐ

Querubines y serafines postrados ante ti,
quien fuiste, eres y serás por siempre jamás.
Reginald Heber
ᘐ ᘐ ᘐ

Serafines. Poco es lo que se sabe acerca de estas criaturas, pues sólo aparecen una vez en la Biblia, en Isaías 6:

> Vi yo al Señor sentado sobre un trono alto y sublime, y sus faldas llenaban el templo. Por encima de él había serafines; cada uno tenía seis alas; con dos cubrían sus rostros, con dos cubrían sus pies, y con dos volaban. Y el uno al otro daba voces, diciendo:
> Santo, santo, santo, Jehová de los ejércitos;
> toda la tierra está llena de su gloria.   **Isaías 6.1-3**

Un poco más tarde, uno de los serafines vuela hacia Isaías. Toma un carbón ardiente del altar celestial y toca con él la boca de Isaías (¡ay!), el ángel declara: «He aquí que esto tocó tus labios, y es quitada tu culpa, y limpio tu pecado» (Isaías 6.7).

Lo que acaban de leer es casi todo lo que sabemos sobre el serafín o los serafines. Algunos piensan que este término viene de la palabra hebrea que significa «fuego» o «ardiente», pero los eruditos de Antiguo Testamento no están por completo seguros.

Gesenius, uno de los especialistas en hebreo más ampliamente respetado, piensa que debe estar relacionado con algún término árabe, *sarupha*, príncipes o nobles de la corte celestial.[4] Los serafines son tal vez similares a los querubines, porque «las criaturas vivientes», las «bestias» de Apocalipsis 4, parecen ser una combinación de los querubines de Ezequiel 1 y los serafines de

---

4   Gesenius, según cita William George Heidt, *Angelology of the Old Testament: A Study in Biblical Theology* [Angelología del Antiguo Testamento: Un estudio en teología bíblica], Catholic University of America Press, Washington, D.C., 1949, p. 15.

Isaías 6. Podría ser que los querubines y los serafines fueran los mismos. En Apocalipsis 4, cada uno de los querubines tiene también seis alas y, al igual que los serafines de Isaías 6, jamás dejan de decir: «Santo, santo, santo es el Señor Dios Todopoderoso» (Apocalipsis 4.8).

Los veinticuatro ancianos. Apocalipsis 4.4 dice: «Y alrededor del trono había veinticuatro tronos; y vi sentados en los tronos a veinticuatro ancianos, vestidos de ropas blancas, con coronas de oro en sus cabezas».

¿Quiénes son estos ancianos? Algunos maestros de Biblia piensan que el número veinticuatro, junto con el uso de la palabra «ancianos», simboliza a los patriarcas de las doce tribus de Israel, representando a todos los santos del Antiguo Testamento, más los doce apóstoles, representando a todos los santos del Nuevo Testamento. Y en una primera lectura sin duda parecen santos, porque llevan puestas túnicas blancas y coronas de oro.

Sin embargo, estoy de acuerdo con otros comentaristas de la Biblia que creen que los veinticuatro ancianos no simbolizan al pueblo cristiano, sino a otra clase de ángeles. No veo en qué forma pueden representar el pueblo del pacto de Dios, porque en varios pasajes (Apocalipsis 7.11-13; 14.1-3; 19.4-9) parecen seres muy distintos a los santos y si el número incluye a los doce apóstoles, ¿por qué el apóstol Juan, quien escribe el libro, no se ve entre ellos?

El erudito Robert Mounce escribe: «Parece mejor tomar a los veinticuatro ancianos como una orden angélica superior que sirve y adora a Dios como la contrapartida celestial de los veinticuatro sacerdotes y las veinticuatro órdenes levíticas».[5]

En todo caso, el uso bíblico del número doce, duplicado al número veinticuatro, es un símbolo de gobierno y juicio, y esto es precisamente a lo que los veinticuatro ancianos parecen estar asociados en cada uno de los pasajes que se mencionan.[6] Lla-

---

5 Robert H. Mounce, *The New International Commentary on the New Testament: The Book of Revelation* [El Nuevo Comentario Internacional del Nuevo Testamento: El libro de Apocalipsis], Eerdmans, Grand Rapids, MI, 1977, pp. 135-36. Véanse también 1 Crónicas 24.4; 25.9-13.

6 Véase especialmente Apocalipsis 11.14.

marlos «ancianos» también sugiere que se trata de ángeles gobernantes. Quizás podemos pensar de los veinticuatro ancianos como senadores celestiales, ángeles encargados de regular el orden de Dios.

Los *bene ha'elohim*. La lengua hebrea tiene un sorprendente número de términos que se refieren de forma directa o indirecta a los ángeles. Ya les he presentado las palabras comunes más usadas, *malak*, que significa simplemente «mensajero». Pero los ángeles también se les llama mediadores, ministros, veladores, ejércitos, enviados, santos y «los hijos de Dios», los misteriosos *bene ha'elohim*.[7] Esto nos lleva a lo que es tal vez el pasaje más difícil sobre los ángeles en la Biblia: Génesis 6. Por cierto, este es uno de los relatos más sorprendentes en la Biblia, punto. Antes del diluvio de Noé:

> Aconteció que cuando comenzaron los hombres a multiplicarse sobre la faz de la tierra, y les nacieron hijas, que viendo *los hijos de Dios* que las hijas de los hombres eran hermosas, tomaron para sí mujeres [hebreo: las tomaron como esposas], escogiendo entre todas[...] Había gigantes [nefilim, una palabra de significado incierto traducida «gigantes» en la RV] en la tierra en aquellos días, y también después que se llegaron los hijos de Dios a las hijas de los hombres, y les engendraron hijos. Estos fueron los valientes que desde la antigüedad fueron varones de renombre.[8]

¿Qué se supone que esto significa? Como bien pueden imaginar, los eruditos de la Biblia han analizado y discutido de este texto interminablemente. Lo que nos hace pensar que quizás esta

---

7   En el Apéndice 2 encontrará una amplia lista de términos sobre ángeles en hebreo y griego.
8   Génesis 6.1-2,4, cursivas añadidas. Para una exégesis completa de este pasaje véase Victor P. Hamilton, *The New International Commentary on the Old Testament: The Book of Genesis* [El Nuevo Comentario Internacional del Antiguo Testamento: El libro de Génesis], capítulos 1-17, Eerdmans, Grand Rapids, MI, 1990, pp. 261-72. Concluye: «Baste decir, es imposible ser dogmático acerca de la identificación de "hijos de Dios" aquí. Lo mejor que uno puede hacer es considerar las opiniones. Si bien quizás no sea de consuelo para los lectores, tal vez sea mejor decir que la evidencia es ambigua y por lo tanto desafía identificaciones y soluciones definitivas» (p. 265).

sea una referencia a los ángeles es el libro de Job, que usa varias veces la frase «los hijos de Dios», siempre respecto a seres angélicos o no humanos. Es más, la Nueva Versión Internacional de la Biblia, la cual uso mucho, traduce la frase *bene ha'elohim* «ángeles»: «Llegó el día en que *los ángeles* debían hacer apto de presencia ante el Señor, y con ellos se presentó también el Adversario Satán» (Job 1.6, cursivas añadidas. Véase también Job 2.1).

¿Qué se supone que hagamos con «los hijos de Dios» en Génesis 6? Hay en realidad dos interpretaciones básicas. La primera: son seres humanos, quizás reyes antiguos y aristócratas. Esta sería probablemente la explicación más cómoda, porque echaría a un lado todas las implicaciones peculiares y sobrenaturales de este pasaje.

Pero si aquí dejamos hablar a la Biblia (la segunda interpretación), parece que en realidad se refiere a seres celestiales, sobrenaturales. Ángeles caídos. Algunas personas simplemente descartarían esta explicación como extraña, mientras que otras argumentan que Génesis 6 es imposible que se refiera a seres angélicos porque Jesús dijo que los ángeles en el cielo nunca se casan (véanse Mateo 22.29-30; Marcos 12.24-25; Lucas 20.34-36). El asunto aquí, sin embargo, no es el matrimonio, sino las relaciones sexuales. ¿Pueden los ángeles de las tinieblas en realidad tener relaciones sexuales con los seres humanos? A lo mejor.

Me inclino a pensar que los *bene ha'elohim* de Génesis 6 eran seres celestiales y que algo extraordinario ocurrió en sus relaciones con «las hijas de los hombres». Ya vimos cómo los ángeles aparecen con «corporalidad», tan humanos que hasta comen y beben con sus huéspedes. Tal parece que en Génesis 6 hubiera descendientes.

QUERUBINES, BESTIAS

La colección más extraña de seres celestiales se encuentra en Ezequiel y Apocalipsis, ambos parecen describir las mismas criaturas celestiales en diferentes términos. Entre los miles de seres insólitos descritos en estos libros, los querubines sobresalen como los más gloriosos y poderosos. En un capítulo anterior, ya hemos analizado brevemente a los querubines como guardianes de la entrada del huerto de Edén. Son, por cierto, los primeros ángeles en aparecer en la Biblia y se mencionan con más frecuencia en los ornamentos del arca del pacto. También hay muchas referencias a los querubines que adornaban el tabernáculo de Moisés y el templo de Salomón.

Ezequiel 1, uno de los capítulos más sobresalientes en la Biblia, describe a los querubines con minuciosos detalles. Ezequiel, un profeta a quien un comentador de la Biblia ha caracterizado como «raro y maravilloso», estaba parado «en la tierra de los caldeos, junto al río Quebar». Hacia el norte se levanta una tormenta poderosa, «una gran nube, con un fuego envolvente, y alrededor de él un resplandor, y en medio del fuego algo que parecía como bronce refulgente, y en medio de ella la figura de cuatro seres vivientes» (Ezequiel 1.4-5). ¡*Los querubines*! Sabemos que son ellos porque Ezequiel lo dijo en un capítulo más adelante: «Y se levantaron los querubines; este es el ser viviente que vi en el río Quebar» (Ezequiel 10.15).

Ezequiel procede a darnos la más larga y detallada descripción de seres angélicos en la Biblia:

Y esta era su apariencia: había en ellos semejanza de hombre. Cada uno tenía cuatro caras y cuatro alas. Y los pies de ellos eran derechos, y la planta de sus pies como planta de pie de becerro; y centelleaban a manera de bronce muy bruñido. Debajo de sus alas, a sus cuatro lados, tenían manos de hombre; y sus caras y sus alas por los cuatro lados. Con las alas se juntaban el uno al otro[...]

Y el aspecto de sus caras era cara de hombre, y cara de león al lado derecho de los cuatro, y cara de buey a la izquierda en los cuatro; asimismo había en los cuatro cara de águila. Así eran sus caras. Y tenían sus alas extendidas por encima, cada uno dos, las cuales se juntaban; y las otras dos cubrían sus cuerpos[...] Cuanto a la semejanza de los seres vivientes, su aspecto era como de carbones de fuego encendidos, como visión de hachones en-

cendidos que andaban entre los seres vivientes; y el fuego res-
plandecía, y del fuego salían relámpagos.   **Ezequiel 1.5-14**

Un retrato paralelo, pero menos exacto, aparece en Apocalipsis:

Y delante del trono había como un mar de vidrio semejante
al cristal; y junto al trono, y alrededor del trono, cuatro seres
vivientes llenos de ojos delante y detrás. El primer ser viviente
era semejante a un león; el segundo era semejante a un becerro;
el tercero tenía rostro como de hombre; y el cuarto era semejante
a un águila volando. Y los cuatro seres vivientes tenían cada
uno seis alas, y alrededor y por dentro estaban llenos de ojos.
                                                    Apocalipsis 4.6-8

No es de admirarse que algunas versiones llamen a estas criaturas «bestias». Lo inadecuado del lenguaje humano para describir las exquisitas glorias del cielo explica las leves diferencias
en los dos relatos. No hablamos de algo que uno podría foto-
grafiar.

¿Por qué tenían tantas alas? Porque son rápidos en volar para
cumplir la voluntad de Dios. ¿Por qué los cubren tantos ojos?
Porque son seres altamente inteligentes y que están alertas. Nada
escapa a su atención. ¿Por qué las cuatro caras y sus formas de
león, buey, hombre y águila? Un comentario bíblico sugiere que
estos seres tienen la fuerza y la nobleza de un león (véase Salmo
103.20), la habilidad de servir fielmente como un buey (Hebreos
1.14), la inteligencia de un hombre (véase Lucas 15.10) y la capacidad de disposición y velocidad de un águila.[9]

Es posible que los querubines sean de un rango superior al
de los ángeles. O al menos parecen ser los más cercanos a Dios.
Adornando el tabernáculo, el templo y el arca sagrada, los querubines tienen una relación inmediata y especial con la gloria

---

9   Véase Daniel 9.21. William Hendriksen, *More Than Conquerors: An Interpretation of the Book of Revelation*
    [*Más que vencedores: Una interpretación del libro de Apocalipsis*], Eerdmans, Grand Rapids, MI, 1970,
    p. 107.

shekinah de Dios. En el cuarto del trono de Apocalipsis 4, de día y de noche nunca cesan de decir: «Santo, santo, santo es el Señor Dios Todopoderoso, el que era, el que es, y el que ha de venir» (Apocalipsis 4.8).

En Ezequiel 1 descubrimos la misma relación entre los querubines y Dios. Los querubines vuelan raudos por los cielos semejantes a relámpagos, guiando a Ezequiel directamente al lugar más brillante del universo: la gloriosa presencia de Dios Todopoderoso. «Y cuando se paraban y bajaban sus alas, se oía una voz de arriba de la expansión que había sobre sus cabezas. Y sobre la expansión que había sobre sus cabezas se veía la figura de un trono que parecía de piedra de zafiro; y sobre la figura del trono había una semejanza que parecía de hombre sentado sobre él» (Ezequiel 1.25-26). Pero era Dios.

En el trono estaba la apariencia de la semejanza de la gloria de Dios. Postrándose sobre su rostro, Ezequiel escucha a Dios: «Yo te envío a los hijos de Israel». La angélica visión llevó a Ezequiel hasta la gloriosa presencia de Dios. Y hacia la voluntad de Dios para su vida. Los seres angélicos guiaron a Ezequiel a la presencia de Dios... y después a servirlo.

¿OVNIS?

Querubines. Extraños y asombrosos seres. También son extrañas sus «ruedas». Ezequiel informa:

> Mientras yo miraba los seres vivientes, he aquí una rueda sobre la tierra junto a los seres vivientes, a los cuatro lados. El aspecto de las ruedas y su obra era semejante al color del crisólito. Y las cuatro tenían una misma semejanza; su apariencia y su obra eran como rueda en medio de rueda. Cuando andaban, se movían hacia sus cuatro costados; no se volvían cuando andaban. Y sus aros eran altos y espantosos, y llenos de ojos alrededor en las cuatro.
>
> Y cuando los seres vivientes andaban, las ruedas andaban junto a ellos; y cuando los seres vivientes se levantaban de la tierra, las ruedas se levantaban. Hacia donde el espíritu les mo-

vía que anduviesen, andaban; hacia donde les movía el espíritu que anduviesen, las ruedas también se levantaban tras ellos; porque el espíritu de los seres vivientes estaba en las ruedas.

Ezequiel 1.15-21

¿Qué vio Ezequiel? Sabemos que estaba viendo la gloria de Dios, pero es muy posible que, como parte de su visión, Ezequiel era testigo presencial de lo que la gente hoy en día llama un objeto volador no identificado, un OVNI. Aun Billy Graham admite que «los OVNIS [tienen] un sorprendente aspecto de ángeles en algunas de las apariciones que han sido reportadas».[10]

En su libro sobre ángeles, Billy Graham nota lo siguiente: «Algunos cristianos sinceros, cuyos puntos de vista se basan en un fuerte apego a las Escrituras, sostienen que los OVNIS son ángeles[...] Los que lo afirman señalan ciertos pasajes en Isaías, Ezequiel, Zacarías y Apocalipsis, y hacen paralelos con los informes de los testigos de las supuestas apariciones de OVNIS».[11]

Personalmente, estoy muy convencido de que los OVNIS son en verdad la manifestación de seres espirituales, y la mayoría de las veces, no del buen tipo. En un artículo bien documentado en *Spiritual Counterfeits Journal* [Revista de Engaños Espirituales], Mark Albrecht y Brooks Alexander[12] informan que los OVNIS son «por lo general luminosos, brillantes y etéreos; con frecuencia despliegan luces parpadeantes y poderosas, reflectores de búsqueda». (¿Cubiertos con ojos? ¿Como las ruedas de los querubines?) «Casi siempre son silenciosos, pero a veces zumban o hasta rugen».

Además, los OVNIS parecen desafiar las leyes de gravedad y física. Albrecht y Alexander nos dicen que «sus movimientos y maniobras son[...] enigmáticas: se les ha visto cambiar de forma repentina; a veces se "materializan" como si surgieran de la

---

10 Graham, p. 27.
11 Graham, p. 24.
12 La mayor parte de lo que sigue en esta sección sobre OVNIS se extrajo de Mark Albrecht y Brooks Alexander, «UFOs: Is Science Fiction Coming True?» [OVNIS: ¿Se está volviendo realidad la ciencia ficción?], *Spiritual Counterfeits Journal*, agosto de 1977, pp. 12-23. Por su parte, Albrecht y Alexander reconocen que una gran parte de su investigación se basa en el libro de John Weldon *UFOs: What on Earth Is Happening?* [OVNIS: ¿Qué está pasando en la tierra?], originalmente publicado por Harvest House y reimpreso por Bantam Books.

nada, pero con más frecuencia se "evaporan" en una suave brisa en medio de una observación. Mientras que en la opinión de ambos, los seres humanos observadores y los instrumentos de radar, han desarrollado increíbles malavarismos aéreos, tales como giros de noventa grados a velocidades de varios miles de millas por hora». Ezequiel lo describe de esta forma: «Cuando andaban, hacia los cuatro frentes andaban; no se volvían cuando andaban, sino que al lugar adonde se volvía la primera, en pos de ella iban; ni se volvían cuando andaban» (Ezequiel 10.11).

El físico J. Lemairte, escribe en la más reconocida publicación sobre OVNIS *Flying Saucer Review* [Revista de Platillos Voladores], resume todo esto: «Podemos concluir que es imposible interpretar los fenómenos de OVNIS en términos de naves materiales como las concebimos, es decir, en términos de manufacturación y máquinas autopropulsoras». Y John Keel, a quien se le conoce por ser uno de los investigadores más respetados en este campo, hace notar que «una y otra vez, testigos me han dicho en tono bajo: "Sabe, no creo que el cuerpo que vi era mecánico. Tuve la impresión de que estaba *viva*». Cuán cerca está a lo que Ezequiel observó: «Porque el espíritu de los seres vivientes estaba en las ruedas» (Ezequiel 1.15-21).

Otro físico cree que los OVNIS únicamente aparecen como materia, pero son en realidad una concentración de energía.[13] Todo esto apunta hacia una base espiritual de la visión de OVNIS, donde algunos pueden ser los ángeles buenos de Dios, como los que Ezequiel vio cerca del río de Quebar en Babilonia.

---

13 En su artículo sobre OVNIS, Albrecht y Alezander discuten los «mecanismos de poder espiritual». John Keel cita más adelante: «Los datos estadísticos[...] indican que los platillos voladores *no* son máquinas estacionarias[...] Son, con toda probabilidad, mutaciones de energía y su existencia no es igual a la de este libro. No son construcciones materiales permanentes». El Dr. Curt Wagner, un físico con un grado doctoral en teoría de la relatividad general, está de acuerdo con la evaluación de Keel. En una entrevista con el personal de *Spiritual Counterfeits Project* [Proyecto de Engaños Espirituales], el Dr. Wagner dijo: «Concluyendo de que sabemos lo que puede suceder en las sesiones de espiritismo y actividades de fantasmas, pareciera que estas fuerzas sobrenaturales pueden manipular la materia y energía, extrayendo energía de la atmósfera, por ejemplo (con manifestaciones como un cambio local de temperatura), para manipular materia y producir una aparente violación de la segunda ley [de la termodinámica], y creo que adivino de gran escala eso es lo que los OVNIS podrían ser. No afirmo que sé que es esto, sino sólo de que podría ser. Me parece que de manera semejante los OVNIS son una violación a gran escala de la segunda ley en la cual la energía se adapta de manera que aparentan ser materia, pero en realidad es sólo una concentración de energía, no se trata de materia sólida en el sentido acostumbrado».

Pero la mayor parte del tiempo, creo yo, las observaciones de OVNIS son las manifestaciones de ángeles de las tinieblas. Mi razón principal para pensarlo es que cuando se ven OVNIS, nunca, al menos que yo sepa, ha guiado a una persona a acercarse a Dios. Es más, la mayoría de las experiencias con OVNIS tiene el efecto opuesto.

Tal vez la más extraña visión de OVNIS son las que involucran el presunto «rapto». Ver un OVNI es una cosa. Visitar uno o conocer a su tripulación de vuelo es lo que sus observadores llaman «encuentros del tercer tipo».

El caso de Brian Scott quizás fue el más famoso. Dice haber conocido a los tripulantes de un OVNI en al menos cinco ocasiones diferentes, en las Superstition Montains [montañas superstición] de Arizona. Después de un extraño examen físico, los alargados y extraños seres[14] dentro de la nave se comunicaron con Scott telepáticamente, sin mover sus bocas ni hablar. El mensaje fue una combinación de información general acerca del origen de los extraterrestres y sus propósitos, filosofía vaga y una promesa de que regresarían. Lo cual hicieron.

En encuentros subsiguientes, Scott se encontró que lo usaban como canal para revelar secretos de ciencia y metafísica, además de un notable diseño para una «máquina de energía física gratis» que podría capacitar a toda la humanidad para tener el mismo pensamiento al mismo momento. Todo esto, por supuesto, ofensivamente ocultista. Encuentros con OVNIS similares a este parece tener tonos religiosos bien sólidos, pero a diferencia de las «ruedas» de Ezequiel, los seres de los OVNIS nunca guían a las personas a la gloriosa presencia del Dios viviente.

Creo que los OVNIS son encuentros del tipo equivocado. El prominente físico francés Jacques Vallee expresó: «Creo que cuando hablamos de la aparición de OVNIS como ejemplos de visitas espaciales, vemos el fenómeno en el nivel incorrecto. No lidiamos con ondas sucesivas de visitas del espacio. Lidiamos

---

14 Scott, según cita Albrecht y Alexander, los describe como «horribles, con hombros caídos, piel como de cocodrilo, pies semejantes a los de elefante y manos con tres dedos y un pulgar suspendido».

con un sistema de control[...] Los OVNIS son los medios para reordenar los conceptos de los seres humanos».

Lo desconocido *puede* dañarnos. El estudio de los OVNIS es otro recordatorio sobrio de que todo lo que entendemos en la vida debe fundamentarse sólidamente en las enseñanzas de la Biblia.

Ángeles extraños e isólitos. El ángel de Jehová. Arcángeles. Miguel y Gabriel. Los *bene ha'elohim*. Querubines y OVNIS. Los serafines. Los veinticuatro ancianos. En el siguiente capítulo echaremos un vistazo en lo más extraño de lo extraño, una paradoja cósmica: los ángeles del infierno.

ÁNGELES DEL INFIERNO

He aquí el trono del caos y su oscuro pabellón ampliamente extendido en el abismo ruin.
Milton

El infierno no es un lugar agradable. Pero usted lo desconoce, porque Satanás y sus demonios han montado un gran espectáculo. «El mismo Satanás», Pablo nos advierte, «se disfraza *como ángel de luz*» (2 Corintios 11.14, cursivas añadidas). Quizás es muy bueno haciendo esto porque alguna vez fue ángel. Satanás, según creen la mayoría de los eruditos bíblicos, fue en un momento dado un gran ángel, tal vez el más elevado de la jerarquía celestial. Su verdadero origen y los hechos específicos que lo llevaron a su caída están ocultos en el misterio. Sabemos mucho más acerca de lo que hace, que de cómo llegó ahí.

&. &. &.

Un ser maligno... sutil y lleno de odio.
Donald Grey Barnhouse

&. &. &.

EL PRÍNCIPE DE LAS TINIEBLAS DISFRAZADO DE LUZ

Como vimos en el capítulo 2, el pasaje más conocido acerca de la ruindad del diablo se encuentra en Isaías 14.12: «¡Cómo caíste del cielo, oh Lucero, hijo de la mañana!» La palabra Venus en latín es «Lucifer», que así aparece en algunas versiones de la Biblia. Al planeta Venus se le conoce como el lucero de la mañana debido a su brillante visibilidad en la temprana luz del amanecer. Irónicamente, a Jesús también se le llama «La estrella resplandeciente de la mañana» (Apocalipsis 22.16).

Isaías 14 continúa: «Cortado fuiste por tierra[...] Tú que decías en tu corazón: Subiré al cielo; en lo alto, junto a las estrellas de Dios, levantaré mi trono, y en el monte del testimonio me sentaré, a los lados del norte; sobre las alturas de las nubes subiré, y seré semejante al Altísimo. Mas tú derribado eres hasta el Seol, a los lados del abismo» (Isaías 14.12-15).

Como mencioné en el capítulo 2, la comprensión de este pasaje ha tenido un poco de dificultad. En su contexto histórico, Isaías 14 realmente se refiere a la caída del rey de Babilonia, quizás es una antigua historia cananea que Israel usaba para apoyar su argumento. Aunque hay eruditos de la Biblia que creen que Isaías 14 también describe la muerte celestial de Satanás, anterior al inicio de la historia humana. Sabemos que algo así debió haber sucedido, porque en Génesis 3 vemos a «la serpiente antigua, que se llama diablo» (Apocalipsis 12.9) interferir maliciosamente en los propósitos de Dios, después que la Biblia abre con la creación en Génesis 1 y Adán y Eva en Génesis 2.

Ezequiel 28 es otro pasaje clave acerca de un antiguo gobernante, el rey de Tiro, a quien se le identifica como «el querubín protector».

Tú eras el sello de la perfección,
>   lleno de sabiduría, y acabado de hermosura.
En Edén, en el huerto de Dios estuviste[...]
Tú, *querubín grande, protector,*
yo te puse en el santo monte de Dios; allí estuviste;
>   en medio de las piedras de fuego te paseabas.
Perfecto eras en todos tus caminos
>   desde el día que fuiste creado,
>   hasta que se halló en ti maldad[...]
Por lo que yo te eché del monte de Dios,
>   y te arrojé de entre las piedras del fuego,
>   oh *querubín protector.*
Se enalteció tu corazón a causa de tu hermosura,
>   corrompiste tu sabiduría a causa de tu esplendor;
yo te arrojaré por tierra;
>   delante de los reyes te pondré para que miren en ti[...]
>   espanto serás,
y para siempre dejarás de ser.

>   **Ezequiel 28.12-19**

Tal vez este pasaje relate la caída del diablo. Si por cierto es acerca de Satanás, podemos ver que era un ángel de alto rango: «Querubín[...] protector, yo te puse en el santo monte de Dios». Y también era sin pecado, «perfecto» en todos los sentidos, pero nació la debilidad del orgullo (igual que en Isaías 14) cambió su corazón y se volvió en contra de Dios. Por lo tanto, Dios lo echó fuera del cielo.

Casi al finalizar la Biblia leemos un relato similar: «Después hubo una gran batalla en el cielo: Miguel y sus ángeles luchaban contra el dragón; y luchaban el dragón y sus ángeles; pero no prevalecieron, ni se halló ya lugar para ellos en el cielo. Y fue lanzado fuera el gran dragón, la serpiente antigua, que se llama diablo y Satanás, el cual engaña al mundo entero; fue arrojado a la tierra, y sus ángeles fueron arrojados con él» (Apocalipsis 12.7-9).

Apocalipsis 9, que comienza con el simbolismo bíblico clásico, es paralelo: «Una estrella [recuerden la asociación bíblica entre ángeles y estrellas] que cayó del cielo a la tierra». Sin duda, los primeros cristianos lo entendieron como un símbolo del ángel caído, Satanás. «Y se le dio la llave del pozo del abismo»: el elevador hacia el infierno. Una vez abierto el abismo, hubo tantas tinieblas que el sol y el aire se oscurecieron. Fue el ocaso de una de las más temibles plagas del mundo antiguo: una oscura y revoloteante nube de langostas. Sin embargo, estos insectos eran terriblemente diferentes: «Y se les mandó que no dañasen a la hierba de la tierra, ni a cosa verde alguna, ni a ningún árbol, sino solamente a los hombres que no tuviesen el sello de Dios en sus frentes» (Apocalipsis 9.4).

En lugar de eso, la tortura a los perversos fue *como tormento de escorpión*: un símbolo del poder del demonio. Jesús lo explicó anteriormente: «Yo veía a Satanás caer del cielo como un rayo. He aquí os doy potestad de hollar *serpientes* y *escorpiones*, y sobre toda fuerza del enemigo, y nada os dañará» (Lucas 10.18-19, cursivas añadidas).

Para resumir, la Biblia no aclara de dónde viene exactamente Satanás, ni precisa cuándo cayó a la tierra, pero de que hay un diablo, un oponente sobrehumano de Dios y su pueblo, es indiscutible. Su nombre, *Satanás*, significa «adversario». Los judíos de la antigüedad también lo llamaban por el nombre menos conocido *Mastema*: palabra hebrea para «enemistad». En los antiguos rollos del Qumrán, el diablo es *«el ángel de enemistad»*. «El judaísmo[...] consideraba a Satanás o Mastema como la encarnación del principio de hostilidad entre Dios y los seres humanos, y también como el gobernador de los malos espíritus».[1] El Nuevo Testamento lo llama cuatro veces «el príncipe de los demonios».

El otro nombre bien conocido de Satanás es *diablo*, que signi-

---

1 Horst Balz y Gerhard Schneider, eds., *Exegetical Dictionary of the New Testament* [Diccionario Exegético del Nuevo Testamento], Eerdmans, Grand Rapids, MI, 1993, vol. 2, p. 234.

fica «acusador» o «engañador». Es su título. Es a lo que se dedica. Al diablo también se le conoce como:

- mal o malvado (Mateo 6.13)
- enemigo (Mateo 13.25, 28,39)
- homicida (Juan 8.44)
- engañador (Apocalipsis 20.10)
- beelzebú (Mateo 9.34; 12.24)[2]
- Belial o Beliar, «el inútil» (2 Corintios 6.15)
- gobernador de este mundo (Juan 12.31)
- príncipe de este mundo (Juan 12.31)
- príncipe de los poderes del aire (Efesios 2.2; 6.12)
- gran dragón (Apocalipsis 12.9)
- serpiente antigua (Apocalipsis 12.9)
- Abadón, Apolión, destructor (Apocalipsis 9.11)
- tentador (Mateo 4.3)

Es el padre de mentira (Juan 8.44). Por eso es bueno en disfrazarse como ángel. Es el príncipe de las tinieblas disfrazado de luz.

UN DIABLO DE NEGOCIOS

El diablo está en un terrible negocio. Hace todo lo malo que podamos imaginar. Y otro tanto que parecen muy buenas. Está en el negocio de oponerse a Dios y resistir a los santos. C. Fred Dickason, en su excelente libro *Angels: Elect and Evil* [Ángeles: elegidos y perversos], ha bosquejado cuidadosamente el trabajo del diablo.[3] *Con relación a Dios*, es el adversario de la persona y del programa de Dios. *Con relación a las naciones*, las engaña a través de la sutil influencia de sus gobernantes.

Con relación a los inconversos, Satanás obstruye o distorsiona el mensaje salvador de Jesús. Según la parábola del sembrador

---

2 Mateo 9.34; 12.24. El significado de beelzebú es incierto. Brown (vol.3, p. 469) sugiere que «lo más probable es que *beel(l)zeboul* proceda de *ba'al zibbul* (del hebreo posveterotestamentario. *Zebel*, estiércol, excremento; *zibbul* significa un sacrificio idólatra): señor de los sacrificios a los ídolos, que a la vez se iguala al excremento».

3 Dickason, *Angel: Elect and Evil*, pp. 141ss.

(Lucas 8.12), se lleva lejos el evangelio así como los pájaros lo hacen en los caminos donde el grano cae.

De algún modo, esto involucra juegos perniciosos de la mente, como el apóstol Pablo lo explica: «Pero si nuestro evangelio está aún encubierto, entre los que se pierden está encubierto; en los cuales el dios de este siglo cegó el entendimiento de los incrédulos, para que no les resplandezca la luz del evangelio de la gloria de Cristo, el cual es la imagen de Dios» (2 Corintios 4.3-4).

Satanás lo logra promoviendo falsas religiones, algo que el apóstol Pablo llama «doctrinas de demonios» (1 Timoteo 4.1-3), y sustentando un estilo de vida de ateísmo, viviendo sin tomar en cuenta a Dios ni sus leyes. Los comentarios de Pablo al respecto son explícitos: «Y Él os dio vida a vosotros, cuando estabais muertos en vuestros delitos y pecados, en los cuales anduvisteis en otro tiempo, siguiendo la corriente de este mundo, conforme al príncipe de la potestad del aire, el espíritu que ahora opera en los hijos de desobediencia» (Efesios 2.1-2).

Finalmente, con relación a los cristianos, el diablo lucha contra nosotros con uñas y dientes: «Vestíos de toda la armadura de Dios, para que podáis estar firmes contra las asechanzas del diablo. Porque no tenemos lucha contra sangre y carne, sino contra[...] los gobernadores de las tinieblas de este siglo, contra huestes espirituales de maldad en la regiones celestes» (Efesios 6.11-12). Los «métodos de ataque del diablo» consisten en murmuración y acusación: precisamente pone en acción el significado de su nombre (Apocalipsis 12.10). Y plantando la duda, tentándonos a pecar. Incitando a persecución. Obstruyendo el camino del ministerio: «Por lo cual», escribe Pablo, «quisimos ir a vosotros, yo Pablo ciertamente una y otra vez; *pero Satanás nos estorbó*» (1 Tesalonicenses 2.17-18).

Quizás las estratagemas más eficaces de Satanás son las más sutiles: el malentendido en las relaciones y la división profundamente dolorosa que viene como resultado: división de iglesias, demandas legales entre amistades y vecinos, hijos que huyen del hogar, divorcios. Pueden leer una letanía de los éxitos del diablo en la página principal de los periódicos del día.

A menudo se pasa por alto que Efesios 6, quizá un de los pasajes de la Biblia más familiares acerca de la batalla espiritual, es realmente acerca de los problemas de las personas y cómo el diablo las usa para lograr sus diabólicos propósitos. Justo antes del famoso pasaje sobre la armadura de Dios en Efesios 6, Pablo se refiere a toda clase de situaciones sobre las relaciones: esposos y esposas (Efesios 5.22-33), padres e hijos (Efesios 6.1-4), y amos y esclavos, o en términos de nuestra cultura, como lo traducen algunas versiones de la Biblia, empleados y empleadores (Efesios 6.5-9).

Después, y solo entonces, Pablo demanda: «Por lo demás, hermanos míos, fortaleceos en el Señor, y en el poder de su fuerza. Vestíos de toda la armadura de Dios[...] Porque *no tenemos lucha contra sangre y carne* (Efesios 6.10-12). O sea, sus luchas no son con todos los que en su vida cree que son sus grandes problemas. Las batallas de la vida se dan a un nivel mucho más profundo y sus problemas no sólo son contra otras personas, sino contra los principados y las potestades de las tinieblas que trabajan detrás de los telones para romper nuestras relaciones importantes: esposos y esposas, padres e hijos, empleados y empleadores.

Antes de pasar a considerar los demonios y qué hacen, quiero aclarar otro asunto importante. Satanás quizás sea el segundo ser más poderoso en el universo, pero no es omnipotente. Su poder y autoridad están muy por debajo del trono de Dios. Pablo nos recuerda que Cristo está sentado a la diestra del Padre, «*sobre todo* principado y autoridad y poder y señorío, y sobre todo nombre que se nombra, no sólo en este siglo, sino también en el venidero» (Efesios 1.21).

Satanás tampoco es omnipresente. Es un ángel caído, un ser finito. En su condición de ángel, es probable que tenga «alas», en el sentido de que puede moverse rápido de un lugar a otro en el tiempo y el espacio. Pero a diferencia de Dios, no está en todas partes al mismo tiempo. Sin embargo, tal vez piensen que sí lo está por la forma en que la gente habla de él. *Pareciera* que está en todos los lugares al mismo tiempo, pero esa es parte de la ilusión. Lo que a la mayoría de las personas le parece que es el diablo, tal vez no sea algo más que los demonios, intensamente sirviendo a su malvado maestro.

En resumen, las funciones del diablo como tipo de universo negativo: cualquier cosa en la que Dios esté, el diablo va en su contra. Satanás es la personificación del mal y tiene una infinidad de ángeles caídos a su servicio.

¿DE DÓNDE VIENEN LOS DEMONIOS?

No todos los ángeles son buenos. La palabra demonios en griego es *daimones*. Según la Biblia, los demonios, que colaboran con el diablo mismo, son un malvado tercio (Apocalipsis 12.3-4) de la población del ámbito espiritual. ¿Quiénes son los demonios? ¿Y de dónde vienen? La respuesta más rápida y sencilla es que son ángeles caídos («de las tinieblas»). Y eso es lo que yo creo, pero quizás les sorprenderá que no todos piensen igual. C. Fred Dickason admite que «hay una pregunta concerniente a origen e identificación de los demonios[...] porque la Biblia no lo establece de manera específica».[4] Y el teólogo Henry Theissen la llama «una pregunta confusa».

Ángeles caídos. La primera teoría, y la que acepto junto con la gran mayoría de los profesores de Biblia, *es que los demonios son legiones de ángeles caídos*. Se trata de ángeles disfuncionales, que sirven al diablo y le hacen la vida miserable a los seres humanos. Hay varias razones para creer en esta perspectiva. En primer lugar, hay expresiones paralelas como «el diablo y sus ángeles» (Mateo 25.41) y «Beelzebú, príncipe de los demonios» (Mateo 12.24ss.). Es obvio que los términos usados aquí son intercambiables, de que el «diablo» y «Beelzebú» son el mismo. De igual manera lo son los *ángeles* y los *demonios*. Sin embargo, debo mencionar que Satanás, que es un ángel caído, jamás se le llama demonio. Segundo, los ángeles y los demonios parecieran tener la misma naturaleza. A ambos se les llama «espíritus».[5] Tercero,

---

4   Dickason, *Angels, Elect and Evil*, p. 155. La discusión general que sigue se basa en el capítulo: «The Derivation of Demons» [La derivación de los demonios], pp. 155-60.

5   En Hebreos 1.14, los ángeles son «espíritus», mientras que en Mateo 8.16 los demonios son «espíritus».

los demonios y ángeles malos llevan a cabo el mismo oficio terrible, que junto a Satanás se oponen contra Dios y el ser humano.

Espíritus incorpóreos de una «civilización perdida». La segunda teoría es la que dice que los demonios son los espíritus incorpóreos de una raza preadámica. En otras palabras, algunos estudiosos de la Biblia opinan que existió una raza de seres humanos *antes* de la creación de Adán y Eva. Se basan en lo que parece ser una nueva creación de la tierra en Génesis 1: «En el principio[...] la tierra estaba desordenada y vacía, y las tinieblas estaban sobre la faz del abismo».

¿Por qué estaba la tierra desordenada y en tinieblas?, se preguntaban. ¿Por qué hay la sugerencia de un caos? Sabemos que Dios creó todas las cosas de la *nada*, pero en Génesis 1 pareciera que Dios hubiera comenzado de nuevo con *algo* y lo estuviera reorganizando. Quizás había una raza de seres humanos viviendo en la tierra antes de Adán, una raza que destruyeron la «primera» tierra. Y a lo mejor el diablo estuvo involucrado en todo esto de algún modo.

Bueno, no lo sabemos. No tenemos la película de la creación. El primer capítulo de Génesis nos da el relato completo de la creación, pero no entra en detalles. Como por ejemplo, lo que significan esas amorfas tinieblas en el principio del Génesis 1. Además, no hay otro lugar en la Biblia en que ni siquiera remotamente sugiera la existencia de una raza preadámica. Estoy convencido, por lo tanto, de que este *no* es el lugar de donde proceden los demonios.

Los espíritus de *bene ha'elohim*. Una tercera teoría, algo que analizamos en el capítulo anterior, es que los demonios son la simiente de los «hijos de Dios» y las hijas de los hombres en Génesis 6. Al parecer, el antiguo escritor cristiano Justino lo creía. En el siglo segundo escribió: «Dios otorgó el cuidado de los seres humanos y todas las cosas debajo del cielo a los ángeles, a quienes puso por encima de ellos. Pero los ángeles transgredieron este oficio, se dejaron cautivar por el amor de las mujeres y engendraron hijos que son los llamados demonios».[6] Los líderes cristianos no apoyan abiertamente esta opinión. A mi juicio, esto es pura conjetura. A la luz de la enorme cantidad de actividad demoníaca que parece evidente en nuestro mundo hoy en día, esos «hijos de Dios» debían haber tenido un número imposible de descendientes.

Los espíritus incorpóreos de los que han partido. La cuarta teoría es la que dice que los demonios son los espíritus incorpóreos de los muertos malvados. «Son los condenados que regresan a perseguir a los vivos», como expone un escritor.[7] En otras palabras, cuando los malvados mueren, se liberan sus espíritus para vagar por la tierra hasta el día del juicio. Este era el concepto que tenían los antiguos escritores judíos Filón y Josefo, y sorprendentemente, muchos de los autores cristianos antiguos. Se cree que estos fantasmas vagabundos, o «ánimas», habitan en las casas viejas y bosques oscuros, y poseen las almas y cuerpos de quienes están vivos.

Algunas personas hasta creen que las almas de los que han partido las observan y protegen como si fueran ángeles. Sophy Burnham informa en su libro: «Escuché de una mujer alemana que sufrió un terrible accidente automovilístico diez días después de la muerte de su marido[...] Explica que sobrevivió debido a la protección de su marido[...] porque sintió su presencia de manera muy poderosa a la hora del impacto».[8]

Pero el enorme problema que hay con esta teoría es que sencillamente no está en la Biblia. En ninguna parte. Sin embargo, la Palabra de Dios enseña que las almas de las personas que han partido sin Dios, van a una prisión temporal de los muertos llamada «seol» o «hades», mientras que los espíritus de los justos van a la presencia de Dios. *Seol* es una palabra hebrea, *hades* es

---

6 Coxe, vol. 1, p. 190.
7 John Warwick Montgomery, *Principalities and Powers: A Fascinating Look at the Paranormal, the Supernatural, and the Hidden Things* [Principados y potestades: Una fascinante vista a lo paranormal, lo sobrenatural y las cosas ocultas], Bethany House, Minneapolis, 1973, p. 142.
8 Burnham, p. 128.

griega. Ambos términos significan esencialmente la misma cosa: una morada intermedia de los muertos.

El infierno es diferente. Es final y para siempre, y contrario a la opinión popular, los impíos no van directo al infierno. Según Apocalipsis, el infierno no abrirá sus puertas hasta *después* del juicio final:

> Y fueron juzgados los muertos por las cosas que estaban escritas en los libros, según sus obras. Y el mar entregó los muertos que había en él; *y la muerte y el Hades* entregaron los muertos que había en ellos; y fueron juzgados cada uno según sus obras. *Y la muerte y el Hades* fueron lanzados al lago de fuego. Esta es la muerte segunda.   **Apocalipsis 20.12-14 (cursivas añadidas)**

Así que por ahora, de acuerdo a las Escrituras, los impíos van directo al seol o hades. No es que tengan una segunda oportunidad ahí. El hades es sólo una celda de detención antes de la sentencia final cuando Dios aparezca en su gran trono blanco de juicio.

Aun hasta algunos de los ángeles caídos están encarcelados ahí, como lo revela Judas: «Y a los ángeles que no guardaron su dignidad, sino que abandonaron su propia morada, los ha guardado bajo oscuridad, en prisiones eternas, para el juicio del gran día» (Judas 6).

El porqué algunos de los ángeles caídos están presos y otros están bajo fianza no está claro, pero Pedro, también, declara: «Porque si Dios no perdonó a los ángeles que pecaron, sino que arrojándolos al infierno [griego: *tartarus*] los entregó a prisiones de oscuridad, *para ser reservados al juicio*» (2 Pedro 2.4, cursivas añadidas). *Tartarus* era lo peor de lo peor, lo profundo de lo más profundo, la caverna más tenebrosa y temible en el hades.[9]

---

9 En 1 de Pedro 3.18-20, un texto oscuro y asombroso de la Escritura, el apóstol nos dice que Jesús, en el tiempo que transcurrió entre su muerte en la cruz el viernes y su resurrección el domingo, «fue y predicó a los espíritus encarcelados [esto es en el hades], los que en otro tiempo desobedecieron, cuando una vez esperaba la paciencia de Dios en los días de Noé, mientras se preparaba el arca». Pedro no nos dice por qué Jesús limitó su predicación a los espíritus del tiempo de Noé. Tampoco nos explica qué dijo Jesús cuando les predicó, ni siquiera por qué les predicó. O qué pasó al final de su sermón. Tampoco se aclara si esos «espíritus» eran personas o ángeles. Algunos piensan que esto explica por qué algunos de los ángeles están atados en el infierno, es decir, los ángeles caídos que fueron directamente responsables de

Por todas estas razones, los demonios no pueden ser espíritus incorpóreos de los impíos que mueren. No hay absolutamente ninguna enseñanza al respecto en el Nuevo Testamento sobre los espíritus errantes de los muertos o fantasmas.

EL PELIGRO DE HABLAR CON LOS MUERTOS

Como estudiante de la Biblia, me inclino a creer que las anécdotas sobre las almas reales de los que han partido que vienen a visitar a los vivos quizás tienen sus bases en alguna actividad demoníaca, tal vez un demonio con disfraz de alguna persona amada. Sin embargo, creo que es posible que el Señor puede usar una visión —no el espíritu real de la persona— para decirnos que una persona amada fallecida está en paz en la presencia de Dios en el cielo.

Mi esposa, Marilyn, tuvo una extraña experiencia como esta pocos días después del fallecimiento de su madre. En un momento inesperado de éxtasis, a miles de millas lejos de la tumba de su madre, Marilyn «vio» la indescriptible cara gozosa de su madre. Fue tan real que, años más tarde, mi esposa no puede hablar de eso sin llorar.

Pareciera que, en un instante fugaz, Dios abrió los cielos y le permitió a mi esposa ver cuán feliz y bien cuidada estaba su madre allá con Dios. No obstante, ninguno de nosotros tuvo la más remota sensación de que la mamá de Marilyn hubiera de algún modo regresado de los muertos para visitarnos, ni de que ella tuviera algún mensaje para nosotros del más allá. Su madre no habló. Ni siquiera se volvió a mirarla. Marilyn sólo vio su cara.

La Biblia, creo yo, deja una brecha muy pequeña entre la puerta de los vivos y la de los muertos. En los relatos de los Evangelios, Santiago, Pedro y Juan vieron a Moisés y a Elías, santos del Antiguo Testamento que hacía mucho habían partido,

---

la maldad durante ese tiempo del diluvio. Pienso, en todo caso, que eran personas, porque no hay nada más en ninguna parte en la Biblia que sugiera que cierta compañía de ángeles cayó al seol durante el tiempo del diluvio.

hablando con Jesús en el monte de la transfiguración. Los muertos, aprendemos de aquí, no están realmente muertos. Pero también tenemos que tomar en cuenta que Moisés y Elías jamás dicen una palabra a los apóstoles. Es más, ni siquiera parecieran percatarse de su presencia. Jesús, no los espíritus incorpóreos de Moisés y Elías, es el centro del relato y el foco de atención de todo el mundo. Jesús es el único lazo entre el cielo y la tierra, la escalera por la cual ascienden y descienden los ángeles (Juan 1.51). Jesús es nuestro mediador, no un medio.

La Biblia expresamente prohíbe el uso de médiums o de cualquier contacto directo con los muertos: «Cuando entres a la tierra que Jehová tu Dios te da, no aprenderás a hacer según las abominaciones de aquellas naciones. No sea hallado en ti quien[...] practique adivinación[...] ni adivino, ni mago, ni quien consulte a los muertos» (Deuteronomio 18.9-11). En una nota, aún más estricta, Moisés advierte al pueblo de Israel: «Y el hombre o la mujer que evocare espíritus de muertos o se entregare a la adivinación, ha de morir; serán apedreados; su sangre será sobre ellos» (Levítico 20.27).

A pesar de las muchas dudas que pueblan nuestro entendimiento sobre Satanás y sus fuerzas malignas, parece ser indiscutible que existe. Y que él mismo contribuye a la confusión que rodea el dominio de las tinieblas.

«Demonio» es sinónimo de «ángel de las tinieblas». Pero, ¿a cuál oficio de los ángeles de las tinieblas? Este es el contenido del siguiente capítulo.

CAPÍTULO DIEZ

QUÉ HACEN LOS ÁNGELES DE LAS TINIEBLAS PARA GANARSE LA VIDA

Un hecho que necesitamos conocer: el mundo de los demonios, los ángeles caídos, es muy real. Tenemos que enfrentar esta terrible realidad, para no caer insospechadamente en sus manos y nos sometan bajo su tiranía.

Basilea Schlink

Los ángeles de las tinieblas son siervos de Satanás. Hacia donde Satanás los guía, los demonios lo siguen. Lo que dijimos sobre el trabajo de Satanás en el último capítulo puede decirse con la misma certeza acerca de los demonios. Juntos cooperan en una conspiración celestial en contra de Dios, de sus propósitos y de su pueblo. Los demonios aparecen a través de toda la Biblia, a veces se les menciona como malos espíritus. Cada vez más personas hoy en día creen que los demonios son verdaderos y que perturban sus vidas.

Hace poco hablé con una conocida que es terapeuta matrimonial y familiar en el área de Seattle. En noviembre de 1993 fue una de las participantes en el Institute of Advanced Clinical Training [Instituto de entrenamiento clínico avanzado] en la ciudad de Washington, D.C., al cual asistieron más de cuatro mil consejeros y terapeutas. Algunos de los temas candentes fueron el abuso ritual, desórdenes de personalidad múltiple y terapia de memoria reprimida. En una encuesta informal y espontánea, uno de los oradores preguntó a la enorme multitud: «¿Cuántos creen en la existencia real de una fuerza maligna o de los demonios?» La vasta mayoría, quizá tantos como un ochenta por ciento de acuerdo a mi amiga, levantaron sus manos.

Los demonios son auténticos. Son seductores y desagradables. La Biblia nos enseña que los demonios energizan la inmoralidad y la maldad humanas (1 Corintios 10.20; Apocalipsis 9.20-21), causan algunas enfermedades y muchas otras formas de sufrimiento humano (Lucas 8.30; 13.11), son los instigadores de la idolatría y la falsa religión (Hechos 16.16; 1 Corintios 10.20; 1 Timoteo 4.1; 1 Juan 4.1-2, 6) y muchos influyen sobre lo gobiernos del mundo (Efesios 6.12; Daniel 10.13). Tal vez su crimen más común conocido es el allanamiento de morada, literalmente la posesión de los cuerpos de los seres humanos vivos.

Al igual que Satanás y que los ángeles buenos, los demonios no son omnipresentes. Hay muchos de ellos, de manera que están por todas partes alrededor nuestro, pero ni un solo demonio, no importa cuán poderoso sea, puede estar en más de un lugar a la vez. En otras palabras, los demonios son locales y tal parece que son capaces de influir en una sola persona, objeto o lugar, a veces por largos períodos. Los demonios, entonces, se pueden encontrar vagando en edificios u otros sitios específicos; asociados con objetos materiales o poseyendo animales; oprimiendo familias, quizás por generaciones; poseyendo a la gente al entrar en sus cuerpos, algo llamado comúnmente «demonización»; o ejerciendo infernal influencia sobre las naciones, regiones, territorios geográficos y ciudades.

LUGARES ENCANTADOS

No creo en los fantasmas amistosos; no creo en los fantasmas, punto. Creo que lo que la gente considera fantasmas son en realidad espíritus demoníacos, no importa cuán placenteras, útiles o inofensivas parezcan algunas de esas apariciones.

Escuchamos historias acerca de fantasmas inofensivos en viejos edificios. Arizona tiene la reputación de que existe un espíritu amistoso en un cuarto en particular de un viejo hotel del siglo pasado que se encuentra en la capital del estado. En el periódico principal de Phoenix, *The Arizona Republic*, publicó en primera plana lo siguiente: «¿Cree en fantasmas? El diecinueve por ciento de las personas encuestadas en Arizona creen». En el título bajo una extraña foto de la página principal se lee: «Al parecer, el Hotel Vendome en Prescott lo habita un fantasma llamado Abby. "A veces, las cosas por acá se tornan muy extrañas", dice Mark Payne, el gerente asistente del hotel».[1]

¿Puede esto ser posible? Sí. ¿Es demoníaco? Creo que sí. Hace dos años mi esposa y yo nos hospedamos en una pensión de Massachusetts. Por teléfono, la propietaria parecía muy agradable y no fue menos agradable cuando la saludamos a la puerta de su casa a la luz de un fresco atardecer de octubre. Sin embargo, una vez dentro, el aire espiritual era frío y sofocante. La casa, con más de trescientos años de construida, estaba maravillosamente decorada con diversas antigüedades, pero el sentimiento interior era casi más opresivo de lo que podía soportar.

---

[1] Hal Mattern, «Believe in Ghost?», *The Arizona Republic*, 31 de octubre de 1991, p. 1.

Ahora debo decir que no vi ningún fantasma, ni demonio, pero había una inequívoca presencia espiritual en esa casa.

Es sorprendente, pero la Biblia no aborda el tema de los lugares encantados. Jesús se acercó un poco a esto cuando habló de la posesión de demonios en Lucas 11.24 (NVI): «Cuando un espíritu malo sale de un hombre, pasa por lugares secos buscando descanso y no lo encuentra».

ÍDOLOS Y OBJETOS MÁGICOS

Los ángeles de las tinieblas también parece que se autoasocian con objetos materiales. Esta es la raíz de la idolatría. Hay dos palabras en hebreo que pueden referirse a los espíritus demoníacos: *sedim*, que significa «señores», y *elilim*, que significa «ídolos». Muy al inicio de su historia, el pueblo judío vio las imágenes idólatras como simples símbolos visibles de demonios invisibles (véanse Deuteronomio 32.17; Salmo 96.5).

El apóstol Pablo concluye: «Lo que sacrifican los paganos, lo ofrecen a los demonios[...] No pueden beber de la copa del Señor y, a la vez, de la copa de los demonios; no pueden participar de la mesa del Señor y de la mesa de los demonios» (1 Corintios 10.20-21, NVI). El propósito principal de Pablo es disuadir a los cristianos para que no coman la carne ofrecida como sacrificio en templos paganos, debido a su cercana asociación con los demonios.

Esta es sin duda la explicación del poder en los objetos religiosos, reliquias, iconos, estatuas, amuletos, talismanes y fetiches. Creo que la mayoría de las veces un objeto físico tiene poder espiritual únicamente en la medida en que creamos que lo tiene. En otras palabras, si un objeto del ocultismo —una calabaza encendida, por ejemplo— no se reverencia como objeto religioso, no tiene poder, no importa cuán religioso parezca ser el objeto. Labrar una cara de calabaza en el otoño no significa automáticamente que le abres tu vida y tu hogar a los malos espíritus.

Por otra parte, algunos objetos pueden tener cierta asociación con poder espiritual. En octubre de 1993, participé en una consulta internacional sobre guerra espiritual en Seúl, Corea. En un momento de descanso, entre las intensas sesiones de las conferencias, conversé con algunos delegados de Asia acerca de unas compras de recuerdos que pensaba hacer.

De pronto, uno de los hermanos cristianos de Malasia se puso serio. «Ustedes los norteamericanos», me advirtió, «tienen que tener cuidado respecto a qué clase de recuerdos llevar a casa. Muchos de los objetos que se venden en las tiendas para turistas aquí en Asia tienen connotación religiosa. Se han ofrecido y consagrado a dioses paganos».

No hace mucho tiempo George Otis, quien ha estudiado fenómenos espirituales por todas partes del mundo, me recomendó un libro interesante acerca del poder espiritual y de la música, escrito por Mickey Hart, quien fuera por muchos años el baterista del grupo de rock el «Grateful Dead» [Muerto agradecido]. El libro, *Drumming at the Edge of Magic: A Journey into the Spirit of Percussion* [Redobles en el umbral de la magia: un viaje al interior del espíritu de la percusión], es una historia de la batería desde una perspectiva espiritualista. Quizás la sección más cautivante del libro es acerca de un tambor ritual tibetano llamado un *damaru*. «Los más distintivos *damarus*», dice Hart, «están hechos con cráneos humanos». Y continúa diciendo: «En veinte años de coleccionar tambores he poseído solamente dos *damarus*[...] Este primer *damaru* casi me mata».[2]

Un amigo que compró el tambor en la India, se lo dio a Hart, sabiendo que el famoso baterista «apreciaría su poder». Bueno, cuando finalmente lo sacó de su estante para darle algunos golpes, se decepcionó por su aburrido sonido. «Jamás esperé volver a tocarlo», escribe. «Lo puse de nuevo en el estante y después fui y vomité. No tenía razón para asociar mi náusea con el *damaru*. Pero pronto comencé a pegarme con las cosas, a caerme cuando no había razón, a dañarme en formas leves pero molestas; me sentí como si poco a poco todo en mi vida estuviera comenzando a disolverse».[3]

---

2 Mickey Hart, *Drumming at the Edge of Magic: A Journey into the Spirit of Percussion*, Harper Collins, Nueva York, 1990, p. 15.
3 Hart, p. 180.

Hart finalmente decidió devolver el tambor a un centro budista tibetano en Berkeley. «Así que por fin ha venido», le dijo el lama principal mirando el tambor. Luego se volvió hacia Hart: «Espero que haya sido cuidadoso, Mickey Hart. Este es un tambor muy, pero muy poderoso. ¡Levanta a los muertos!»[4]

De algún modo, los ángeles de las tinieblas tienen el poder de energizar objetos sin vida con el objetivo de tentar a la gente a adorar o servir el objeto en lugar de al Dios de los cielos. «Encantamiento», conocida más comúnmente como «poltergeist» («espíritus ruidosos» en idioma alemán), es un término poco común que se refiere a movimientos extraños o cambios raros en objetos inanimados, como puertas golpeando o imágenes que sangran.

En un capítulo anterior, me referí a un artículo de *Spiritual Counterfeits Journal* acerca de la realidad y la naturaleza de los OVNIS. Algunos de los mismos conceptos se ajustan aquí. En el artículo, el Dr. Curt Wagner, un físico y doctor en relatividad general, establece que «pareciera que las fuerzas sobrenaturales pueden manipular la materia y la energía, extrayendo energía de la atmósfera, para aprovechar la materia y producir una aparente violación [de las leyes de la física]».[5] En otras palabras, un ídolo o icono que habla y hace otros trucos tentadores es científicamente posible.

Esta es una historia real,[6] una importante y aterradora ilustración de la actividad demoníaca. (Si les resulta desagradable leer acerca de la actividad demoníaca, les sugiero que salten algunos de los próximos párrafos, si bien el relato tiene un «final feliz».)

Desde que puedo recordar, he tenido pesadillas acerca de estar despierto en cama, incapaz de abrir mis ojos, moverme, ni hablar. Al final, estas pesadillas se volvieron en algo mucho más aterrorizante: un demonio vestido con un amplio saco negro co-

---

4 Hart, p. 181.
5 Albrecht y Alexander, p. 20.
6 La persona que me contó esta experiencia es un cristiano bastante nuevo que asiste a nuestra iglesia con regularidad. Por razones obvias, he decidido en este caso mantenerla en el anonimato.

menzó a aparecer. Este mismo ser se manifestó a varias mujeres de nuestra familia [más adelante en este capítulo analizo los espíritus familiares: Autor], y discutimos acerca de si este ser era varón o hembra.

Este demonio a menudo venía a nuestros sueños nocturnos y decía cosas horribles. Algunas veces, hasta podíamos sentir su toque físico. Rara vez ha podido alguien de mi familia tomar una siesta durante el día, porque por cualquiera que fuera la razón, siempre se nos aparecía a esas horas.

Cuando en 1986 me mudé a Arizona, lejos de mi familia, algunas otras cosas poco comunes comenzaron a suceder, además de las pesadillas. Las puertas se abrían y cerraban cuando nadie estaba en esa parte de la casa. Por ejemplo, en una ocasión mi hija, que tenía quince años en ese entonces, estaba sola en su cuarto. Por alguna razón que desconocemos, el candado de la puerta de su habitación estaba por el lado de *afuera* de la puerta. Mientras hacía su tarea sobre la cama, y yo estaba sentada en la sala leyendo, su puerta de repente se cerró y puso el candado.

En otra ocasión, cuando mi hija tenía diecisiete años, me dijo que había visto unas sombras negras de pequeñas figuras danzando en el patio y esto le aterró terriblemente.

Mientras tanto, mis pesadillas eran cada vez más frecuentes, junto con dolores de migraña. Todavía no era cristiana y Dios comenzaba a llevarme hacia Él. A pesar de que me había criado en un hogar cristiano y sabía que necesitaba la salvación, llevaba mi vida sin Dios y pagaba el precio.

Una noche, estaba en casa sola y se sentían muchos ruidos extraños y una atmósfera terriblemente maligna. Jamás había experimentado tal miedo. Tenía el sobrecogedor presentimiento de que alguien me miraba y traté de deshacerme de tales pensamientos yéndome a dormir. Pero cuando fui al baño a lavarme la cara, esa sensación se intensificó. Encima del mueble del lavabo había un frasco con bolas de algodón. Mientras estaba parada allí, y ante mis ojos, la tapa del frasco se levantó en el aire, flotando por una fracción de segundo, para luego estrellarse y partirse en miles de pedazos.

Como bien podrán imaginar, no pude dormir esa noche. Todo lo que hice fue quedarme ahí tirada de puro terror, incapaz de resistir la oscuridad. Permanecí acostada sólo unos pocos minutos porque de pronto sentí una fría brisa soplando en mi cuarto. Estaba despierta y mis ojos estaban abiertos. La luna alumbraba con brillantez a través de la ventana.

De repente, esa figura familiar, vestida con su capa negra que le cubría la cabeza, «caminó» dentro de mi cuarto. El miedo me paralizó. «Si me mira directamente», pensé, «me voy a morir». El ser pasó cerca de mi cama y desapareció en el baño. Después que mi corazón dejó de palpitar agitadamente y pude respirar con mayor facilidad, salí de la cama y me asomé con cautela dentro del cuarto de baño. Pero no había nada. Temblando, volví a la cama y por fin me pude dormir.

Algunos meses más tarde, le entregué mi corazón a Cristo y lo hice Señor de mi vida. Fue en un retiro de mujeres, donde por primera vez aprendí acerca de cosas como maldiciones generacionales y liberación. Comenté con algunas de las mujeres del retiro acerca del visitante encapuchado, y ellas impusieron sus manos sobre mí y oraron. Durante varios meses no volví a tener más pesadillas.

Pero luego, una noche, el ser oscuro reapareció. Estaba dormida y la vieja pesadilla, y el sentimiento inevitable de parálisis, regresó. En realidad, me vi luchando físicamente con la figura encapuchada, al menos esa fue la impresión que tuve en mi sueño. Pero la liberación vino cuando comencé a gritar: «Te resisto en el nombre de Jesús». La horrible cosa voló y jamás ha regresado. Eso sucedió hace dos años.

Una nota al calce de la historia: No hace mucho, hojeaba un catálogo de órdenes por correo de productos del ocultismo y de la Nueva Era. Me quedé petrificada cuando vi una ilustración de una pequeña estatua para espantar espíritus que estaba en oferta: una imagen exacta del ser encapuchado de mis pesadillas. Se le llamaba «Reina de la tierra media». Hace poco también aprendí que un ancestro materno estaba muy profundamente involucrado en brujerías.

Tal parece que los ángeles de las tinieblas tienen la capacidad de asociarse, y hasta moverse, en objetos inanimados (véase Éxodo 7.10-12), pero permítanme advertirles algo al respecto. No tienen que comenzar a tirar cosas fuera de su casa esta noche. No todo lo que han hecho las manos de los involucrados en otras religiones está directamente dedicado al diablo ni energizado por los demonios, pero debemos ser cautelosos y discernir.

No obstante, algunos objetos, debido a su significado espiritual potencial, simplemente no tienen cabida en los hogares cristianos. Y tal vez usted no debiera venderlos, ni regalarlos. En Hechos encontramos lo siguiente: «Y muchos de los que habían creído venían, confesando y dando cuenta de sus hechos. Asimismo muchos de los que habían practicado la magia trajeron los libros y los quemaron delante de todos» (Hechos 19.18-19).

DEMONIZACIÓN

La Biblia es muy parca en materia de demonización, en que los malos espíritus tienen la capacidad de entrar en los cuerpos de las personas vivas y controlar sus pensamientos, emociones y acciones. El Señor Jesús creía que los demonios jugaban un papel significativo en ciertos comportamientos humanos y que deberían echarse fuera (Mateo 4.23-24).

A veces, los demonios se posesionan de los cuerpos humanos. Esta es quizás una de las razones por las que algunas personas creen que los demonios son los espíritus incorpóreos de los muertos, que están desesperados por volver a la tierra de los vivientes. Ya he explicado que los demonios no son los fantasmas de los muertos. Los demonios son ángeles de las tinieblas, parte de un gran engaño para perturbar y controlar la creación de Dios.

Matthew y Dennis Linn han enseñado sobre sanidad en muchos países y universidades, incluyendo un curso para doctores acreditado por la Asociación Médica Norteamericana. En la introducción de su libro *Deliverance Prayer* [Oración de liberación], Matthew Linn confiesa sus primeras luchas para creer en la realidad de los demonios hoy en día:

Diez años atrás no habría podido escribir este libro. Sabía que Cristo nos llamó a predicar, a sanar y a echar fuera demonios en su nombre (Marcos 6.12-13; 16.15-18). Estaba dispuesto a hacer las dos primeras cosas, pero dudaba por completo en los demonios. Mis estudios superiores en antropología, sicología y teología me convencieron de que los demonios únicamente se encontraban en las gárgolas de las catedrales medievales o en fantasías creadas por demasiados «demonios» extraños[...]

En la actualidad, un número creciente de doctores, siquiatras y trabajadores sociales saben que a veces es tan necesario tratar las posesiones demoníacas con oración de liberación así como si se tratara a una bacteria con penicilina, una neurosis maniaco-depresiva con terapia y drogas, o un alcohólico con AA y cambio ambiental.

A través de la Asociación de Terapeutas Cristianos he llegado a conocer cerca de mil doscientos profesionales que combinan el poder de sanidad, del cual la liberación es una parte pequeña pero importante.[7]

Mucha gente fidedigna está de acuerdo. El autor de libros de mayor venta, M. Scott Peck, dedica un capítulo completo de su libro *People of the Lie* [Pueblo de la mentira] al ministerio de liberación. Está convencido, como siquiatra practicante, que los problemas humanos más difíciles, particularmente los asociados con la negación y comportamientos adictivos, se ponen en marcha por el poder de los demonios.

Los demonios, al entrelazarse con la personalidad de su víctima, pueden llegar a controlar en mayor o menor escala uno o varios aspectos de la vida de la persona. En su importante libro *Demon Possession and the Christian*, C. Fred Dickason define la demonización como «pasividad o control causados por los demonios debido a la residencia de un demonio dentro de la persona, que manifiesta sus efectos en varios desórdenes físicos y mentales y a varios niveles».[8]

---

7 Matthew y Dennis Linn, *Deliverance Prayer*, Paulist Press, Nueva York, 1981, pp. 5,7.
8 C. Fred Dickason, *Demon Possession and the Christian: A New Perspective* [La posesión demoníaca y los cristianos: Una nueva perspectiva], Crossway Books, Westchester, IL, 1987, p. 40.

No está claro por qué los ángeles de las tinieblas tienen una obsesión tal por la posesión, particularmente en vista a que los ángeles buenos parecieran no tener ningún interés en habitar cuerpos humanos. Se me ha ocurrido una posible explicación. Las personas en realidad están habitadas por el Espíritu *Santo* como un representante del Dios al que sirven. El cristianismo no es sólo un sistema de creencias religiosas. Es relación y comunión con el Dios vivo. Es Cristo *en nosotros*, la esperanza de gloria.

En un perverso intento por falsificar esta maravillosa relación que los cristianos tienen con Dios, Satanás vicariamente mora en una gran cantidad de personas al enviar a sus *malvados* espíritus, sus ángeles de las tinieblas, dentro de los cuerpos de esas personas. El Espíritu Santo, como la tercera persona de la Trinidad, es omnipresente. Puede morar en un ilimitado número de personas, cambiando sus corazones y guiando sus vidas. El diablo, por el contrario, no es omnipresente. Con todo y lo poderoso que es, solamente puede poseer y controlar a una persona a la vez. De ahí la necesidad que tiene de las legiones de ángeles caídos para llevar a cabo su malévola estrategia de influir y dominar en tantos seres humanos como le sea posible.

Los ángeles de las tinieblas, entonces, pueden entrar y controlar las vidas de los seres humanos. No obstante, es debatible cuántos pueden «poseer» la vida de una persona. Charles Kraft, en su excelente libro *Defeating Dark Angels: Breaking Demonic Oppression in the Believer's Life* [Venciendo a los ángeles de las tinieblas: rompiendo la opresión demoníaca en la vida de los creyentes], nos recuerda que el término «posesión demoníaca» se basa en una pobre traducción de la palabra griega *daimonizomai*, la cual, más precisamente, significa «demonizado», o «bajo la influencia de un demonio». Otra frase que aparece pocas veces en el Nuevo Testamento es *echein daimonion*, la cual significa «tener un demonio».

«Es mucho mejor», escribe Kraft, «usar un término más neutro tal como "tiene un demonio" o "demonizado". Ambos son más fieles al original griego y también corren menos riesgo de atemorizar a la gente». Aun el famoso erudito en Biblia, Merrill

Unger, reconoce que el término «posesión demoníaca», tan popular hoy en día, no aparece en la Biblia.[9] Charles Kraft concluye que «los demonios no pueden controlar por completo a una persona para siempre, aunque en demonizaciones severas, puede llegar a ocurrir un control casi total por períodos cortos o un poco más largos».[10]

Un mito popular es que los demonios no pueden poseer a los cristianos. Técnicamente, eso es cierto. El Espíritu Santo es el que posee, si lo quieren ver así, a los cristianos. De manera que los demonios nunca podrían poseer por completo a los creyentes cristianos. Pero si razonamos que la «posesión» de demonios debe entenderse más generalmente como demonización o influencia demoníaca, entonces sí parece ser posible que un ángel de las tinieblas pueda oprimir a un creyente cristiano. Dickason ha analizado la demonización de cristianos en su persuasivo libro *Demon Possession and the Christian*.

Jesse Penn-Lewis, en su obra clásica de 1912 sobre los demonios, *Guerra contra los santos*, da a entender que:

> Los cristianos son tan receptivos a la posesión de espíritus malignos como cualquiera otra persona, y pueden llegar a ser poseídos porque en la mayoría de los casos han *cumplido insensatamente con las condiciones sobre las cuales operan los espíritus malignos*[...] La causa fundamental del engaño y la posesión en los creyentes se puede condensar en una palabra: *pasividad*. O sea, un cese del ejercicio activo de la voluntad que está en control de espíritu, alma y cuerpo.[11]

LIBERACIÓN

Se sale un poco del objetivo central de este libro que quiera lidiar profundamente con este aspecto de los ángeles de las tinieblas. Para las personas que están en particular interesadas en

---

9   Según cita Charles Kraft en *Defeating Dark Angels: Breaking Demonic Oppression in the Believer's Life*, Vine Books, Ann Arbor, MI, 1992, pp. 37-38.

10 Kraft, p. 37.

11 Jesse Penn-Lewis, *Guerra contra los santos*, CLIE, Ft. Lauderdale, FL (p. 69 del original en inglés).

el ministerio de la liberación (cómo hacerlo y de qué cosas hay que cuidarse) hay varios libros cristianos buenos que están disponibles.[12] Pero puesto que ya he apuntado hacia el tema, quizás sea bueno darles algunos consejos básicos.

Michael Scanlan y Randall J. Cirner[13] son sabios al sugerir que la liberación puede ocurrir a diferentes niveles. De acuerdo a estos autores, «la autoliberación o liberación personal» es a menudo posible mediante el crecimiento significativo en la santidad personal, o a través de la autoministración, ordenándole a los ángeles de las tinieblas que salgan en el nombre de Jesús. Pedro nos advierte: «Sed sobrios, y velad; porque vuestro adversario el diablo, como león rugiente, anda alrededor buscando a quien devorar; *al cual resistid firmes en la fe*» (1 Pedro 5.8-9, cursivas añadidas).

Segundo, la «liberación fraternal» es cuando Dios obra a través de hermanos cristianos para ministrar liberación de la opresión espiritual. Esta es la clase de liberación de todos los días, como Santiago nos demanda: «Confesaos vuestras ofensas unos a otros, y orad unos por otros, para que seáis sanados» (Santiago 5.16).

El tercer tipo de liberación es «pastoral». De acuerdo con Scanlan y Cirner: «Cuando una persona tiene responsabilidades pastorales hacia otros, el Señor le da a esa persona el don y la autoridad para lidiar con trabajos más complejos y profundos de espíritus malignos».

La cuarta es «ministerio especial». Debemos reconocer que Dios le ha dado a algunas personas dones especiales de discernimiento, revelación y autoridad para vencer a Satanás y a los ángeles de las tinieblas en sus niveles de actividad más profundos. Personalmente, he confrontado y echado fuera demonios en varias ocasiones, pero este no es mi principal don ministerial.

---

12 Recomiendo *Defeating Dark Angels*, de Charles Kraft, Vine Books, 1992; *Demon Possession and the Christian*, de C. Fred Dickason, Crossway Books, 1987; y *Exorcism: Fact or Fiction*, de Ken Olson, Thomas Nelson, 1992.

13 Michael Scanlan y Randall Cirner, *Deliverance from Evil Spirits: A Weapon for Spiritual Warfare* [La liberación de los malos espíritus: un arma para las batallas espirituales], Servant Books, Ann Arbor, MI, 1980, pp. 63ss.

Prefiero predicar un sermón o escribir un libro. Si es necesario, puedo lidiar con espíritus malignos, pero prefiero referir los casos más difíciles a personas más dotadas para esto y tienen más paciencia.

¿Cómo echamos fuera un demonio? Unas cuantas ideas en un capítulo tan corto como este son difícilmente inadecuadas para lidiar con la tremenda complejidad y lo candente del tema, pero hay algunos lineamentos generales que creo que todos deben saber. En mi libro sobre guerra espiritual, *Overcoming the Dominion of Darkness* [Venciendo el dominio de las tinieblas], sugiero lo siguiente:

Primero, pregúntese si es una condición de demonización que puede solucionar. Si no lo es, refiera el caso a alguien que sea competente en ministerio espiritual, o tal vez pida que una o dos personas le ayuden. Si no está seguro, pregunte a Dios si le está guiando a involucrarse en esto. Si Dios no le dice con claridad que debe participar, no lo haga.

Segundo, prepárese. Ore que Dios le dé la unción del poder y el discernimiento de espíritus. Jesús enseñó a sus discípulos que algunos espíritus malignos no responden a cualquiera y en cualquier momento. Algunas personas se liberan de los ángeles de las tinieblas únicamente después de ferviente oración y ayuno.

Tercero, pídale a la persona demonizada que se prepare para el ministerio con oración y ayuno. Esto no es posible, por supuesto, si el individuo está fuertemente oprimido o si piden oración sin saber que sus problemas son profundamente espirituales.

Cuarto, ministre la liberación en forma privada siempre que sea posible. Si me toman fuera de guardia en una reunión pública por una manifestación demoníaca inesperada, siempre trato de llevar escoltada a la persona demonizada a otro cuarto. A los demonios parece que les gusta llamar la atención. Además, observar una liberación puede ser muy aterrador para quienes no están familiarizados con esa clase de ministerio.

Quinto, en el nombre de Jesús ordene a los ángeles de las tinieblas, por nombre si es necesario, que salgan. Recuerde, el poder de Dios tiene que ver con el hecho de que Cristo está en usted y el Espíritu obra a través de usted, no con el volumen de su voz ni la intensidad de los sentimientos religiosos que quizás experimente en ese momento.

Sexto, invite al Espíritu Santo a venir y llenar el vacío, de modo que el ángel de las tinieblas no se posesione de nuevo con facilidad.

LAS LIMITACIONES DE LA LIBERACIÓN

La liberación no es un curalotodo. No todos los problemas humanos tienen un origen demoníaco. Santiago escribió: «Cuando alguno es tentado, no diga que es tentado de parte de Dios; porque Dios no puede ser tentado por el mal, ni Él tienta a nadie; sino que cada uno es tentado, cuando de su propia concupiscencia es atraído y seducido» (Santiago 1.13-14). En otras palabras, los ángeles de las tinieblas pueden influir mucho en nosotros. Satanás es el gran tentador. Pero jamás uno puede decir: «El diablo me *movió* para que los hiciera». A fin de cuentas, todos somos responsables de nuestro comportamiento.

Matthew Linn escribe: «Quienes ven una necesidad única por liberación se equivocan tanto como quienes sólo ven la necesidad de medicina, o tratamiento siquiátrico, o de cambio ambiental, cuando varios o todos estos factores pueden contribuir al sufrimiento de una persona».[14] La liberación, afirma Charles Kraft, no es un trabajo de un solo golpe.

La liberación no siempre perdura. Escribí en mi libro sobre guerra espiritual que «aunque se lleva a cabo una liberación de un espíritu maligno, esta no garantiza la libertad permanente. La liberación debe acompañarla el compromiso de obedecer la Palabra de Dios y crecer en Cristo. Algunas veces, si no siempre,

---

14 Linn y Linn, p. 7.

es necesaria la responsabilidad personal hacia otros cristianos maduros durante el proceso de sanidad. El gobierno de Satanás debe cambiarse por el de Dios, no basta con echarlo fuera».[15] Jesús enseñó:

> Cuando el espíritu inmundo sale del hombre, anda por lugares secos, buscando reposo, y no lo halla. Entonces dice: Volveré a mi casa de donde salí; y cuando llega, la halla desocupada, barrida y adornada. Entonces va, y toma consigo otros siete espíritus peores que él, y entrados, moran allí; y el postrer estado de aquel hombre viene a ser peor que el primero.
>
> Mateo 12.43-45

La liberación no siempre da resultados. He orado para que personas sean liberadas de lo que parece ser inequívocamente un síntoma demoníaco y sus problemas no se han ido. Cuando oramos con alguien, no sólo necesitamos saber cuándo comenzar, sino *cuándo parar*. Puede haber otros factores que requieran que retiremos nuestras fuerzas a fin de considerar el problema desde otros ángulos. Algunas veces es un demonio, otras no. Algunas veces es falta de fe, otras no sabemos qué es. La guerra espiritual es un negocio serio, así que continúe pidiéndole a Dios por discernimiento y poder. Si hay trabajo que realizar, Él le mostrará cómo hacerlo.

¿PUEDE UN ANIMAL TENER UN DEMONIO?

Esto es raro, pero posible. Tengo un amigo aquí en el área de Phoenix que es terapeuta a tiempo completo. Tiene bastante experiencia con abuso ritual y demonización. Hace un par de años, después de una oración de liberación por alguien de su casa, su gato se trastornó. Al parecer, el demonio entró en el cuerpo de su mascota. Cuando él y su esposa oraron por el animal, la segunda liberación resultó.

---

15 Kinnaman, pp. 177-178.

Un incidente similar ocurrió en el Evangelio de Marcos (5.1ss). Jesús cruzó el mar de Galilea hacia la región de los gadarenos, donde se le enfrentó un hombre salvaje poseído por una legión de demonios. «Nadie podía atarle, ni aun con cadenas[...] de día y de noche, andaba dando voces en los montes y en los sepulcros, e hiriéndose con piedras».

Cuando Jesús lo vio, demandó: «Sal de este hombre, espíritu inmundo»

Pero los ángeles de las tinieblas le rogaron a Jesús que no los enviara fuera de la región. «Envíanos a los cerdos para que entremos en ellos».

Jesús estuvo de acuerdo y la legión de ángeles de las tinieblas entró al hato de cerdos. Cerca de dos mil cerdos se precipitaron salvajemente por el despeñadero, hacia el mar, y se ahogaron. ¡Jamón del diablo!

Todo el suceso es intrigante. ¿Por qué los demonios se posesionaron de los cerdos sólo para matarlos? ¿Y a dónde fueron los demonios después que se ahogaron los cerdos? Algunas personas han sugerido que todo esto se relaciona con el hecho de que los hebreos no debían comer carne de cerdo. Nos preguntamos: ¿qué hacía esta gente judía metida en el negocio de criar cerdos? O quizás porque esto sucedió en la ciudad de Decápolis, área gentil, que esos cerdos los criaban para los sacrificios romanos.

Además de cualquier otra cosa que aprendamos de este relato, podemos concluir que los demonios tienen la capacidad de poseer los cuerpos tanto de seres humanos como de bestias. Pero permítanme repetir la oración inicial de esta sección: *la posesión demoníaca de animales es extremadamente rara.* En la Biblia aparece una sola vez y en todos mis años de ministerio he escuchado sólo muy pocos incidentes similares.

ESPÍRITUS FAMILIARES

Tal parece que algunas familias tienen problemas que permanecen durante generaciones, como la historia del ser encapuchado al principio de este capítulo. Estoy persuadido de que esta es una siniestra estrategia de los ángeles de las tinieblas, ordenada por Satanás, para aferrarse a familias y otras asociaciones cercanas de personas. Por lo general, se conoce que las características familiares y las costumbres van de unos a otros a través de la herencia y el medio. Numerosos estudios médicos, sicológicos y sociológicos han mostrado cómo los problemas tales como el abuso del alcohol influyen grandemente en la genética y los factores ambientales.

Pero quizás hay más. A decir verdad, la Biblia es imprecisa en la cuestión de la maldición de generaciones, pero sí nos sugiere que los pecados familiares, o al menos sus consecuencias, van de una generación a otra. En los Diez Mandamientos, Dios declaró: «No te inclinarás a ellas [imágenes de dioses], ni las honrarás, porque yo soy Jehová tu Dios, fuerte, celoso, que visito la maldad de los padres sobre los hijos hasta la tercera y cuarta generación».

Los patrones y pecados familiares se repiten con extraña regularidad de una generación en la siguiente, mientras tanto varias generaciones, hijos y nietos, pueden sufrir como resultado directo de los pecados paternos.

La evidencia social ahora es abrumadora. «Dan Quayle estaba en lo cierto», anunciaba la portada de la prestigiosa revista *Atlantic Monthly*. «Después de décadas de disputa pública acerca de la llamada diversidad familiar», dice el artículo, «la evidencia de las investigaciones de las ciencias sociales va llegando: La disolución de las familias de padre y madre, si bien podría ser beneficiosa para los adultos involucrados, es dañina para muchos niños y debilita dramáticamente nuestra sociedad».[16] Con frecuencia hay una correlación directa entre el «niño problema» y los problemas de sus padres.

¿Será que los ángeles de las tinieblas están sutil pero poderosamente escalando los problemas? Me inclino a creer que sí. Esposos y esposas «someteos unos a otros en el temor de Dios[...] Hijos, obedeced en el Señor a vuestros padres[...] Padres, no pro-

---

16 Portada de la revista *Atlantic Monthly*, abril de 1993.

voquéis a ira a vuestros hijos, sino criadlos en disciplina y amonestación del Señor[...] *Porque no tenemos lucha contra sangre y carne, sino contra principados, contra potestades, contra los gobernadores de las tinieblas de este siglo, contra huestes espirituales de maldad en las regiones celestes»* (tomado de Efesios 5.21—6.12, cursivas añadidas).

Es claro en este pasaje que el diablo ataca a la familia y a otras relaciones importantes. Por lo cual, es lógico suponer, aunque tenemos que recordarnos constantemente que la Biblia no enseña esto de manera directa, que a ciertos ángeles de las tinieblas se les ha asignado la labor de devastar a la misma familia una generación tras otra, a menos que la maldición se quebrante mediante el poder de Dios. Recuerden, nuestro tiempo de vida es fijo. Cuando más, podemos llegar a los cien años. Sin embargo, los ángeles de las tinieblas han estado aquí desde hace miles de años, y es posible que estén en el mismo lugar por mucho tiempo más.

Charles Kraft está de acuerdo. Y escribe:

No puedo entender por qué Dios permite esto, pero lo cierto es que los niños pueden llegar a demonizarse [no a ser poseídos, sino a estar bajo la influencia de demonios] de forma hereditaria. A menudo nos referimos a esto como el pase *generacional o de «sangre» del poder de los espíritus.*

Algunas veces se hereda uno o más espíritus. Con frecuencia, me he visto en el caso de las personas cuyos padres y/o abuelos practicaron la masonería. Esto no es de sorprenderse, puesto que los masones casi siempre se maldicen a través de juramentos secretos que hacen. En los altos niveles, se dedican a sí mismos y a sus familias a Lucifer.[17]

Esos mismos espíritus familiares, creo yo, pueden andar rondando a los miembros y descendientes de las mismas familias. Similar a la legión de los malos espíritus en el incidente de los

---

17 Kraft, p. 74.

cerdos endemoniados, estos espíritus familiares ruegan una y otra vez «no ser enviados fuera de la región» (Marcos 5.10).

Al igual que Jesús, necesitamos enfrentarlos y echarlos fuera para siempre. Debemos reconocer los valores antifamiliares de Satanás y contraatacar sus artimañas con el poder del Espíritu Santo y un compromiso inconmovible de obedecer la Palabra de Dios. En marcado contraste con la maldición que recae sobre la tercera y cuarta generaciones, Dios promete que mostrará su amor por «*mil generaciones* a los que me aman *y cumplen mis mandamientos*» (Éxodo 20.6, Dios habla hoy, cursivas añadidas).

ESPÍRITUS TERRITORIALES

Los ángeles de las tinieblas parecen amar «áreas» específicas: lugares geográficos, montañas y regiones. Al igual que los seres humanos y otras criaturas de Dios, los demonios pueden ser territoriales. Las primeras sugerencias que encontramos sobre espíritus territoriales se remontan al siglo quince a.C., en la mitología cananea. Se decía de cada uno de los dioses antiguos, que tenían «un lugar de habitación en una montaña sagrada en particular, en algunos puntos inaccesibles en los que el cielo y la tierra se encuentran. Y se creía que desde tales montañas fluía su gobierno sobre la tierra y su influencia sobre los habitantes de esta».[18]

Estos eran los dioses de las regiones. Un ejemplo de ello lo encontramos en la antigua batalla entre Acab, rey de Israel, y Ben-adad, rey de Siria, en 1 Reyes 20. Los dioses territoriales influyeron en la estrategia militar de la campaña. Después de una derrota inicial, el oficial del rey de Siria le aconseja: «Sus dioses son dioses de los montes, por eso nos han vencido; mas si peleáremos con ellos en la llanura, se verá si no los vencemos».

A la siguiente primavera, Ben-adad enrola un enorme ejército e invade la tierra de los hebreos por segunda vez. Jehová, el Dios de Israel, estaba irritado. A través de un profeta descono-

---

18 David Peterson, *Engaging with God: A Biblical Theology of Worship* [Involucrándose con Dios: una teología bíblica de la adoración], Eerdmans, Grand Rapids, MI, 1992, pp. 24-25.

cido, le asegura a Acab: «Por cuanto los sirios han dicho: Jehová es Dios de los montes, y no de los valles, yo entregaré toda esta multitud en tu mano, para que conozcáis que yo soy Jehová». De más está decir que el ejército de Israel ganó la batalla ese día y Ben-adad logró escapar por los pelos. Jehová e Israel destrozaron el poder de Siria.

Probablemente el pasaje más conocido acerca de los «espíritus territoriales» sea Daniel 10. Daniel había estado orando por una revelación y por la liberación de Israel, su pueblo, del exilio. En una respuesta que tardó, un gran ángel, Miguel, finalmente apareció a Daniel con la respuesta de Dios. «Daniel, no temas», exclamó Miguel; «porque desde el primer día que dispusiste tu corazón a entender y a humillarte en la presencia de tu Dios, fueron oídas tus palabras; y a causa de tus palabras yo he venido. *Mas el príncipe del reino de Persia se me opuso durante veintiún días*» (Daniel 10.12-13, cursivas añadidas).

Juan Calvino escribió acerca de este pasaje: «Cuando Daniel presenta al ángel de los persas y al de los griegos, sin duda sugiere que ciertos ángeles son puestos como una especie de precedente sobre los reinos y providencias».[19]

En la actualidad, la frase «espíritus territoriales» es una expresión popular que se refiere a la jerarquía de los ángeles de las tinieblas que estratégicamente Satanás designa para controlar e influir en las naciones, comunidades y hasta familias. En Efesios 6.12 se sugiere un sistema jerárquico de seres espirituales: principados, potestades, gobernadores de las tinieblas, huestes espirituales de maldad. C. Peter Wagner ha concluido que:

> Satanás delega a los altos miembros de la jerarquía de espíritus malvados el control de las naciones, regiones, ciudades, tribus, grupos de personas, vecindarios y otras redes importantes de relaciones de seres humanos a través del mundo. Su tarea principal es evitar que Dios sea glorificado en su territorio, lo cual hacen mediante demonios de más bajo rango.[20]

19 Calvino, p. 77.
20 Según cita Kinnaman, pp. 54-55.

¿Qué podemos hacer con respecto a esto? Algunas veces podemos ser más eficaces en el ministerio de la liberación cuando discernimos que los demonios se oponen a nuestra oración. De forma similar, liberar a nuestras familias de los pecados y maldiciones generacionales puede hacerse con mayor eficacia si somos capaces de identificar a los ángeles de las tinieblas a los que se les ha encomendado que nos atormenten. Lo mismo se puede decir del crecimiento y éxito de la iglesia local, o del avance del Reino de Dios en una ciudad o nación. Lógicamente, mientras mejor conozca a su enemigo, mejores oportunidades tiene de vencerlo. Lo que hacen los equipos de fútbol para mejorar sus posibilidades de ganar es ver y estudiar con detenimiento las películas de los juegos del partido oponente.

Creo que Dios nos mostrará qué clase de poderes espirituales enfrentamos cuando necesitemos saberlo. Pero el conocimiento preciso de los espíritus territoriales específicos no es el foco importante de las batallas espirituales. Lo que en realidad necesitamos saber, y lo único que necesitamos saber, es que Jesús es Señor y nosotros venceremos al diablo y a sus ángeles de las tinieblas mediante la sangre del Cordero y la palabra de nuestro testimonio (Apocalipsis 12.11).

Clinton Arnold, profesor de teología en el Seminario Teológico Talbot en California y además una voz nueva en el movimiento de guerra espiritual, ha hecho una extensa investigación sobre los principados y potestades de los cuales Pablo escribe en su carta a los Efesios. Arnold menciona: «Mientras que Pablo tiene mucho que decir acerca de los poderes de las tinieblas, hay mucho más que no dice».[21] Pablo no habla de forma específica en cuanto a las ideas populares acerca de los territorios gobernados por ángeles malvados. Arnold nos advierte:

> Si bien es cierto que Pablo muestra una gran dependencia del libro de Daniel por algunos términos y conceptos[...] Pablo nunca relacionó los poderes de las tinieblas con algún territorio ni

---

21 Clinton E. Arnold, *Powers of Darkness: Principalities and Powers in Paul's Letters* [Los poderes de las tinieblas: principados y potestades en las cartas de Pablo], InterVarsity Press, Downer's Grove, IL, 1992, p. 98.

país en particular. Por ejemplo, jamás rogó que Dios venciera al príncipe angélico de Roma ni que atara al gobernador demoníaco que estaba sobre Corinto[...] Lo que Pablo enfatiza es que debemos reconocer que hay poderosos emisarios demoníacos que atacan a la Iglesia y obstruyen su misión, y que sólo pueden vencerse a través de la permanencia y confianza en el poder de Dios.[22]

Creo que hay espíritus territoriales, ángeles atados a ciertas áreas. Tal parece que a los ángeles se les asignan regiones geográficas específicas, pero caminemos por este nuevo «territorio» con mucha cautela. Mi preocupación acerca de este asunto está en relación a un punto que he enfatizado en todo el libro: *Los cristianos, estudiantes, escritores y eruditos, deben permanecer firmemente bíblicos.* Hay muchas cosas más de las que tenemos que hablar. Y pensar. Y escribir. Y orar por ellas.

Pero tenemos que persistir en volver a la Biblia, como lo hacían los primeros cristianos en Berea, que eran de un carácter más noble que el de otros cristianos. ¡Qué juicio más valioso! ¿Por qué? Porque «recibieron la palabra con toda solicitud». No estaban religiosamente cerrados de mente, ni cerrados a ninguna idea. Y sin embargo, escudriñaban «cada día las Escrituras para ver si estas cosas eran así» (Hechos 17.11). Lo cual me lleva a darles otra recomendación a los estudiantes de los ángeles, tinieblas y luz.

EL PELIGRO DEL DUALISMO

El dualismo es la creencia en dos fuerzas *igualmente* poderosas en el universo: el bien y el mal. O una gran «Fuerza» que puede de algún modo manipular para bien o para mal. Pero esto no es verdad. La filosofía presentada en los libros y películas de *La guerra de las galaxias* es un mito. Clinton Arnold escribe: «Cuando a través del Nuevo Testamento se representan a Cristo y la Iglesia en conflicto con los poderes, nunca estas fuerzas de oposición

---

22 Arnold, p. 99.

estaban libres e independientes de la absoluta soberanía de Dios. Dios es soberano porque Él es el Creador».[23]

A pesar de lo clara que es la Biblia en cuanto a la realidad de nuestro adversario y su significativo poder e influencia, las Escrituras no enseñan el «dualismo», la idea de dos fuerzas opuestas, dos fuerzas igualmente poderosas en eterno conflicto. El diablo podrá ser el segundo ser más poderoso del universo, pero corre en un segundo lugar a mucha distancia del Trino y Único Dios que lo creó.

🙚 🙚 🙚

Hay dos errores iguales y opuestos en los que nuestra carrera
contra los demonios puede caer. Uno es no creer en su
existencia. El otro es creer y sentir un excesivo e insano
interés por ellos. De igual manera, se complacen con estos
dos errores y reciben con el mismo agrado a un
materialista y a un mago.
C.S. Lewis, *Cartas a un diablo novato*
🙚 🙚 🙚

Satanás y sus ángeles de las tinieblas trabajan arduamente levantando «cortinas de humo» para evitar que nos demos cuenta de sus limitaciones. Hace algunos años, en unas vacaciones con la familia, me sucedió algo que puede ilustrar este punto.

Después de acomodar a nuestros hijos y un montón de cosas en nuestro microbús familiar, nos dispusimos a recorrer Estados Unidos en un viaje de vacaciones de tres semanas. Había planeado un día y medio para ver todas las cosas en Washington, D.C., y terminamos pasando la mayor parte de ese tiempo visitando el Smithsonian: un centro favorito de los turistas alrededor del mundo.

El Smithsonian es una vasta colección de museos que para verlo completo se necesitarían semanas enteras, pero nos dimos

---

23 Arnold, p. 100.

prisa para en dos o tres días ver lo más popular. Uno de nuestros museos favoritos fue el del Aire y Espacio, que muestra desde el aeroplano original de los hermanos Wright hasta las más avanzadas exploraciones del espacio. Antes de la gran renovación, el museo tenía un diorama que mostraba un puesto, a tamaño natural, de la comandancia de un aeródromo de la Primera Guerra Mundial.

Detrás de la puerta de una vieja y pobremente iluminada cabina, se podía escuchar la áspera voz grabada de un oficial que gritaba enojado, discutía unas estrategias aéreas y comunicaba sus planes del día. Y a través de la ventana, en la pared lejana de la pequeña cabina, se veía una fornida sombra en movimiento, una imponente silueta del comandante moviéndose hacia atrás y adelante en nerviosa preocupación.

¿Cómo podrían hacer eso? Pensé para mis adentros. Así que me incliné sobre la barrera de protección y metí mi cabeza a través de la ventana sin cristal. Ahí en el piso estaba lo que parecía una máquina grabadora con una pequeñita, quizás seis pulgadas de alto, figura de cartón que daba vueltas y vueltas frente a una bombilla de sesenta watts. La imponente silueta era una simple e inteligente ilusión. ¡No había nada en el edificio! «Igual que el diablo», susurré.

Sin duda alguna, hay un diablo que lo ayudan una infinidad de seres malignos de incuestionable poder. Sin embargo, la realidad es que *el diablo no es tan grande como parece*. El poder de Satanás tiene límites definidos y ya se ha vencido: «Y despojando a los principados y a las potestades, los exhibió públicamente, triunfando sobre ellos en la cruz» (Colosenses 2.15).

Hay un diablo. Los demonios son reales. Se está librando la guerra de los siglos. Precisamente esta mañana, uno de los titulares de nuestros periódicos decía: «Otro sangriento día en el Valle: cinco muertos y dos heridos en cuatro accidentes». En Apocalipsis, las almas de los mártires, brutalmente masacradas en las primeras persecuciones de la Iglesia, claman desde abajo del altar: «¿Hasta cuándo, Señor, santo y verdadero, no juzgas y vengas nuestra sangre en los que moran en la tierra?» (Apocalipsis 6.10).

¿Hasta cuándo, Señor? ¿Es Dios verdaderamente soberano? ¿Es en realidad santo y verdadero? Sí. ¿Y cuán grande es el diablo? Asoma la cabeza por la ventana y mira. Satanás es una simple e imponente ilusión. A fin de cuentas no es tan grande como parece: «Y el diablo que los engañaba fue lanzado en el lago de fuego y azufre, donde estaban la bestia y el falso profeta; y serán atormentados día y noche por los siglos de los siglos» (Apocalipsis 20.10).

CAPÍTULO ONCE

UNA NUEVA ERA DE ÁNGELES

Debemos saber la verdad acerca del mundo de lo oculto y de los espíritus para combatir las opiniones erróneas y crecientemente populares. Debemos reconocer la lucha titánica que se libra cada día entre las fuerzas de las tinieblas y las fuerzas de la luz.

C. Fred Dickason,
Angels: Elect and Evil

Sólo en la Nueva Era sería posible inventar un ángel tan maduro que podría desconocerse.   Nancy Gibbs,
Time, diciembre de 1993

Libros buenos acerca de los ángeles buenos son escasos, aunque los libros cristianos sobre Satanás, demonios, ocultismo y guerra espiritual están en abundancia. Mientras tanto, proliferan hermosas publicaciones de libros sobre ángeles, con un tinte de Nueva Era. Encontré cinco en apenas unos pocos minutos en una librería local del centro comercial y lo que leí me preocupó. Los ángeles nos están atacando con tormentas y algunas de las nubes se ven muy oscuras.

Un escritor de la Nueva Era nos informa, por revelación angélica, que «estamos en la actualidad en el surgimiento de la tercera grande ola de ángeles[...] Los ángeles se nos están manifestando como nunca antes. Algo profundo está en marcha. Y cada uno de nosotros, hasta el punto preciso que podamos sostener la visión, es parte de este gran plan».[1]

La gente no solo escribe libros sobre ángeles, sino que los ángeles les *dicen* que escriban libros. En *Ask Your Angels: A Practical Guide to Working with the Messengers of Heaven to Empower and Enrich Your Life*, Alma Daniel y sus coautores en realidad le preguntan a sus «ángeles reporteros» por «información interna». Su ángel «Abigrael» les reveló:

> Lo que me han encomendado que les comunique para este libro es cómo son las cosas ahora[...] Más adelante en este libro les iré dando los informes de última hora sobre cómo [Gabriel, Miguel, Rafael y Uriel] trabajan para ustedes. Esta no es la misma información que tienen del pasado[...] Miguel, por ejemplo, siempre se le vio con una espada, cortando siempre el mal. Pero ahora que ustedes han dominado la dualidad, Miguel no necesita hacerlo».[2]

Esto es descaradamente engañoso, muy parecido a la tentación que Satanás les presentó a Adán y Eva. Hace muchos eones la serpiente desafió con sarcasmo: «No moriréis; sino que sabe Dios que el día que comáis de él, serán abiertos vuestros ojos, y seréis como Dios, *sabiendo el bien y el mal*» (Génesis 3.4-5, cursivas añadidas). O «dominado la dualidad», según lo explica el ángel de la Nueva Era, Abigrael. Esto me da la impresión de

---

1   Alma Daniel, Timothy Wyllie y Andrew Ramer, *Ask your Angels: A Practical Guide to Working with the Messengers of Heaven to Empower and Enrich Your Life* [Pregúntale a tus ángeles: una guía práctica para trabajar con los mensajeros del cielo que fortalecen y enriquecen tu vida], Ballantine Books, Nueva York, 1992, pp. 39-40.

2   Daniel, *et al.*, pp. 26-27.

que los ángeles, al menos los seductores, no cambian el disco. Lo triste del asunto es que las personas les hacen el juego. El antiguo engaño inmortal ha elevado el *conocimiento* de lo bueno y lo malo sobre *hacer* lo bueno y *despreciar* lo malo.

UNA FASCINACIÓN COMPULSIVA HACIA LO PARANORMAL

El movimiento de la Nueva Era muestra la avidez que la gente tiene de la realidad espiritual, cualquiera que esta sea. Algo muy dentro nos dice que hay un Dios y, quizás, centenares de seres inmortales en alguna parte más allá del tiempo y del espacio. Pero es sólo una intuición. Nuestra ignorancia espiritual y vulnerabilidad son el terrible lado flaco de todo esto. Para muchos, como los autores de los libros sobre ángeles de la Nueva Era, un ángel es un ángel. No distinguen entre los ángeles buenos y los malos.

La gente, de todo tipo, cristiana y no cristiana, tiene una compulsiva fascinación con lo paranormal: ciencia ficción, OVNIS, fantasmas, exorcismos *y ángeles*. El peligro estriba en que no tenemos habilidades naturales para saber elegir entre todo esto. Tenemos una instintiva necesidad de tocar la dimensión espiritual, pero no tenemos punto de referencia para entenderla sin el Espíritu Santo y la Palabra de Dios.

En el lado «superior», nuestra fascinación con los fenómenos espirituales es la evidencia primitiva de la existencia de Dios. A mediados de este siglo, Dietrich Bonhoeffer escribió teología para lo que llamó «un mundo adulto». Vivía en una era de avances científicos y tecnológicos sin precedentes, cuando parecía que la noción de Dios venía a ser crecientemente innecesaria. Algunas décadas antes, Carlos Marx dijo que la religión era el opio de los pueblos. Ahora el mundo crecía, y crecía y se hacía independiente de la necesidad de una relación con un ser divino. A principio de la década del sesenta, Dios estaba muerto o al menos eso fue lo que se nos dijo.

Jamás en sus momentos teológicos más profundos pudo Bonhoeffer concebir el inaudito surgimiento mundial de la religión sólo cincuenta años después de su muerte, en 1945. Dios no moriría, porque su imagen está grabada en cada corazón humano. El mundo es más religioso ahora que nunca antes. «Reavivamiento religioso del tercer milenio» es como John Naisbitt y Patricia Aburdene le llaman en su importante libro, *Megatrends 2000*, que han leído casi religiosamente los líderes gubernamentales, de los negocios y la educación. Naisbitt y Aburdene han reconocido a la religión como una de las diez tendencias socioculturales más significativas que nos conducen hacia la próxima centuria. «La creencia religiosa», dicen, «se está intensificando en todo el mundo bajo el empuje gravitacional del año 2000».[3]

Las nuevas tecnologías y el «nuevo orden mundial» no han podido disminuir nuestra necesidad de Dios. En todo caso, la gente se torna desesperada y vulnerable por la realidad más allá del materialismo y la violenta agitación de nuestra sociedad cada vez más atea. Terry Lynn Taylor, creyente de la Nueva Era y escritor sobre ángeles, dijo recientemente en la primera conferencia sobre ángeles y espíritus de la naturaleza: «La tecnología no llena nuestras almas de felicidad. La gente ha comenzado a reevaluar lo que está sucediendo. Los ángeles», afirma, «nos ayudan a tener fe, diciéndonos que hay otra fuerza».[4]

Taylor sugiere que los ángeles son parte de la solución, pero ese es el problema. La gente se está volviendo hacia la religión en números sin precedentes, pero es la religión de su elección, algunas veces hasta de su propia hechura. No toda creencia religiosa es correcta ni cada ángel es bueno. Los ángeles no sólo ayudan a la gente a tener esperanza; los ángeles de las tinieblas en disfraz ayudan a descubrir religiones erróneas. Y sin el fundamento bíblico, la gente se puede meter en profundos problemas religiosos. Las revelaciones de ángeles deben tomarse muy en serio y deben examinarse muy de cerca. Las experiencias con ángeles son maravillosas, poderosas y amenazantes.

---

3   John Naisbitt y Patricia Aburdene, *Megatrends 2000: Ten New Directions for the 1990s* [Megatendencias 2000: Diez direcciones nuevas para los noventa], William Morrow, Nueva York, 1990, p. 271.
4   *National and International Religion Report*, 6 de septiembre de 1993, p. 7.

LOS ÁNGELES ENREDAN LA CABEZA

Nos engañamos si pensamos que podemos igualarnos en sabiduría con los ángeles. Nosotros les interesamos para bien o para mal y, mientras menos informados estemos, más peligrosos se vuelven los ángeles de las tinieblas. Es más, necesitamos reconocer cuán difícil es para cualquiera de nosotros interpretar experiencias espirituales. Somos inútiles sin la ayuda de Dios, de un conocimiento adecuado de las Escrituras y del consejo de otros cristianos sabios.

Aun el apóstol Juan estuvo momentáneamente confundido por la aparición de un ángel. Juan se autodescribe como el discípulo cercano a Jesús. Estaba reclinado cerca del Señor en la Última Cena (Juan 21.20), y mientras veía morir al Salvador en la cruz, escuchó que Jesús le decía a María su madre: «Mujer, he ahí tu hijo». Se nos dice que, a partir de ese momento, Juan tomó a la madre de Jesús y la llevó a su casa (Juan 19.25-27).

Más tarde, casi al final de su vida, el envejecido apóstol fue encarcelado en la pequeña isla griega de Patmos. Juan, exiliado y aislado, «estaba [solo] en el Espíritu en el día del Señor», cuando recibió las profecías y visiones que llegaron a convertirse en el libro de Apocalipsis. En su capítulo de apertura, Juan describe una impresionante aparición del Cristo resucitado y glorificado. «Su cabeza y sus cabellos eran blancos como blanca lana, como nieve; sus ojos como llama de fuego[...] y su rostro era como el sol cuando resplandece en su fuerza» (Apocalipsis 1.14-16). Cuando Juan lo vio, cayó a sus pies «como muerto» (Apocalipsis 1.17).

La misma clase de cosas suceden al final del libro de Apocalipsis. Al concluir su visión, Juan cae de rodillas en actitud de adoración nuevamente. Pero esta vez fue un ángel el que lo detuvo: «Mira, no lo hagas; porque yo soy consiervo tuyo, de tus hermanos los profetas, y de los que guardan las palabras de este libro. Adora a Dios» (Apocalipsis 22.8-9).

Aquí tenemos un ejemplo sobresaliente del poder y persistencia de las experiencias con ángeles reales. Juan, un amigo íntimo y personal de Jesús antes de su resurrección, el más viejo y el último de los apóstoles en morir con años de liderazgo cristiano en su haber, no podía distinguir entre el Cristo glorificado que aparece al principio de su libro y el ángel del final. Adora a los dos. ¿Cómo es que pudo suceder esto? Porque los ángeles son asombrosos y podemos quedar indefensos por completo ante su presencia. Si un ángel pudo confundir a un sabio y anciano apóstol, ¿qué podemos decir de nosotros?

Juan cayó ante el ángel en adoración ciega y compulsiva, pero el ángel bueno no pudo permitirlo. De esto aprendemos dos cosas muy importantes. Primera, bajo ningún concepto se deben adorar los ángeles. «Al Señor tu Dios adorarás, y a Él solo servirás». Segunda, las experiencias espirituales pueden ser tan poderosas que nos lleven a hacer cosas que de otro modo jamás habríamos hecho en nuestro sano juicio. Pero los ángeles buenos de Dios *jamás* nos desviarían, ni aceptarían alabanza. Siempre nos llevarán de nuevo a Dios.

Esto no se puede decir de los ángeles caídos. Lo que un ángel dice, hace y permite nos dará una clave acerca de para quién trabaja ese ángel. Debemos usar la verdad de la Biblia para juzgar cada encuentro angélico. La experiencia que niega la verdad es la trampa que acarrea el engaño. He aquí un ejemplo:

La densa neblina comenzó a disiparse, y podía ver el movimiento de una luz adelante: un veloz y pulsante destello semejante a una luciérnaga. Me detuve por un momento para observar, y el pequeño destello se expandió en tamaño y apariencia como una pequeña luna rozando la tierra. A medida que me acercaba a la luz, esta de repente cambió a un rayo vertical, un pilar de luz transparente.

—¿Eres tú el ángel que estoy buscando? —le pregunté.

La suave pero poderosa voz femenina respondió:

—Yo soy el ángel de sabiduría creadora.

—¿Tiene nombre?

—Algunos me han llamado Isis —me dijo, y con esas palabras el pilar de luz suavemente se materializó para revelar así la cara y forma de una hermosa mujer que vestía una blanca y flotante túnica con bordes de oro.[5]

¿Qué habrías hecho si hubieras tenido una experiencia como esta? ¿La creerías? ¿Adorarías? Este encuentro, de la manera en que se relata en el primer capítulo de *The Angels Within Us*, es tan real como el libro que ahora tiene en sus manos. Pero es el lado erróneo de lo real. Este ángel no guía a nadie hacia Dios. Roba toda la atención y lo que dice muestra su afiliación con el movimiento de Nueva Era: «Conozca su verdadera naturaleza y mantenga su mente enfocada en aquel aspecto elevado de su ser hasta que lo realice. Mientras más se empape con la energía de su mente divina, mayor será la restauración de la armonía con la sabiduría».[6]

No todo lo que brilla es oro. El apóstol Pablo alertó a los primero cristianos: «Satanás se disfraza *como ángel de luz*» (2 Corintios 11.14, cursivas añadidas). El diablo jamás luce como tal. Si lo hiciera, a nadie engañaría con sus artimañas. A veces el diablo simplemente se ve como un ángel. Pero lo que más prefiere es aparecer en «un veloz y pulsante destello», «el pilar de luz transparente» del «ángel de sabiduría creadora».

Casi mil quinientos años atrás, un antiguo escritor cristiano de nombre Lactantius en sus *Instituciones divinas* advirtió: «Estos espíritus errantes e impuros, de modo que lo llevan todo a confusión y llenan las mentes de los seres humanos con errores, entrelazan y mezclan cosas falsas con la verdad».

MORONI Y OTROS ÁNGELES DE TINIEBLAS DE FALSAS RELIGIONES

No todos los ángeles son de Dios. Escuchen esta abierta negación del mal de una reciente publicación del movimiento Nue-

---

Randolf Price, *The Angels Within Us: A Spiritual Guide to the Twenty-two Angels that Govern Our Lives* [Ángeles dentro de nosotros: una guía espiritual sobre los veintidós ángeles que gobiernan nuestras vidas], Fawcett/Columbine/Ballatine, Nueva York, 1993, pp. 2-3.
Price, p. 7.

va Era, y noten especialmente cómo estos datos vienen de «in-formantes angélicos» (énfasis mío):

> Aun en estos días y épocas, películas como *The Omen* [La pro-fecía], *Rosemary's Baby* [El bebé de Rosemary] y *The Seventh Sign* [Los siete signos], evocan horror porque dan la posibilidad de que los mensajeros universales del mal influyan en nosotros. Sin embargo, de acuerdo a nuestros informantes angélicos, la situa-ción, gracias a Dios, no es nada de eso[...] Poco a poco y con seguridad, todos emergemos colectivamente de esta ilusión del mal[...] Muchos cristianos contemporáneos han comenzado a abandonar el concepto de que hay un diablo verdadero, recono-ciendo una vez más que existe sólo una fuerza omnipotente en el universo.[7]

Los ángeles aparecen virtualmente en todas las religiones. Si el cristianismo es verdad y no hay múltiples caminos hacia Dios, quizás los ángeles, los de las tinieblas vestidos de luz, son res-ponsables del nacimiento de otras religiones. La opinión del apóstol Pablo sobre el origen de las religiones paganas no fue políticamente correcto: «¿Qué digo, pues? ¿Que el ídolo es algo, o que sea algo lo que se sacrifica a los ídolos? Antes digo que lo que los gentiles sacrifican, *a los demonios lo sacrifican*» (1 Co-rintios 10.19-20, cursivas añadidas). La misma idea se sugiere en los Salmos: «Porque grande es Jehová, y digno de suprema ala-banza; temible sobre todos los dioses. *Porque todos los dioses de los pueblos son ídolos*; pero Jehová hizo los cielos» (Salmo 96.4-5, cursivas añadidas).

El mormonismo es uno de los ejemplos más claros de los poderes e influencia de los ángeles de las tinieblas disfrazados de luz. Un ángel de nombre Moroni apareció a José Smith y le dijo que toda la iglesia había caído del favor de Dios y no podía salvarse. Era tiempo, anunció Moroni, de que alguien recomen-zara la iglesia. La aparición de un ángel y los constantes encuen-tros angélicos son las piedras básicas del mormonismo. Escuchen

---

7 Daniel, *et al.*, pp. 27-29, cursivas añadidas.

a José Smith describir la primera aparición de Moroni, algo que los mormones llaman «el precioso mensaje del ángel»:

> Clamé[...] al Señor y me mostró una visión celestial, porque he aquí que un ángel del Señor vino y estuvo de pie frente a mí y[...] me reveló que en la ciudad de Manchester, condado de Ontario, Nueva York, había platos de oro sobre los cuales habían inscripciones gravadas por Moroni y sus padres, los siervos del Dios viviente en los días pasados, y fueron depositados por mandato de Dios y guardados por el poder mismo y que yo debía ir y traerlos».[8]

Una publicación mormona más reciente sobre ángeles está dedicada a probar, más o menos, que Dios siempre ha usado ángeles para enseñar verdad *nueva*. Esto es necesario, por supuesto, para armar por debajo del agua las doctrinas del mormonismo. El autor McConkie explica que, en el mismo principio de los tiempos: «Dios estableció un patrón de enseñarle al ser humano a través de los ángeles. Comenzó con el primer hombre, Adán». McConkie concluye: «De manera que la relación básica entre el Hijo de Dios y el ser humano fue anunciada y enseñada por un ángel. *Este sistema de enseñanza se ha repetido una y otra vez*. El Libro de Mormón contiene los mejores ejemplos del uso de los ángeles como maestros».[9]

¿Captaron la ironía de esta lógica? Un ángel le aparece a José Smith guiándolo a comenzar una nueva religión. Luego al parecer lo guía a descubrir las tablas sagradas de oro, las cuales tradujo para el contenido del Libro de Mormón que «encierra los mejores ejemplos del uso de ángeles como maestros». En otras palabras, el ángel que guía a José Smith le da unas nuevas escrituras que «prueban» que los ángeles dan nuevas escrituras. Eso es como si les dijera: «Yo soy Dios», y luego los llevara a un libro sagrado, que acabo de escribir, que lo «prueba».

8 John Stott, «Joseph Smith's 1823 Vision: Uncovering the Angel Message» [Visión de José Smith de 1823: Revelando el mensaje del ángel], *Religion*, vol. 18, 1988, p. 348. Véase también Dean C. Jessee, *The Personal Writing of Joseph Smith* [Los escritos personales de José Smith], Desert Book Company, Salt Lake City, 1984, pp. 6-7.

9 Oscar W. McConkie, *Angels*, Desert Book Company, Salt Lake City, 1975. p. 27, cursivas añadidas.

¿Irracional? Sí, pero al fin y al cabo las situaciones que enfrentamos con las falsas creencias religiosas, mormonas u otras, jamás son puramente racionales. Son forzosamente espirituales. Como muchos escritores del movimiento de la Nueva Era, José Smith se enfrentó cara a cara con un ángel de las tinieblas increíblemente poderoso y no tuvo nada con qué resistirlo. Si acorralamos a los mormones con contradicciones lógicas de su sistema doctrinal, invariablemente recurrirán a su experiencia religiosa personal, tal como lo hizo el padre de su religión: algo que llaman su «testimonio», un ardiente momento de revelación personal de que el mormonismo es la única religión verdadera. Estoy persuadido de que el momento candente lo orquestan los ángeles de las tinieblas vestidos de luz.

¿Cuán importantes son los ángeles para los mormones? «El precioso mensaje del ángel» fue bastante poderoso para mantener el movimiento en marcha, pero para hacerlo, las enseñanzas mormonas han incorporado un sistema de constante revelación angélica. McConkie continúa: «*Estamos en deuda con los ángeles por mucho de nuestro entendimiento en la erudición del evangelio* [esto quiere decir, en poder comprender las escrituras]. El sacerdocio aarónico[10] guarda las llaves de los ángeles ministradores[...] Muy literalmente esto significa que los que ostentan el sacerdocio aarónico están en posición de tener ángeles que les ministren[...] [y] *uno no disfruta por completo de su oficio y llamamiento en ausencia de tales experiencias maravillosas*».[11]

Los «testimonios» mormones son genuinos, pero los ángeles que los inspiran son impuros. Por eso el apóstol Pablo insiste en advertir a la iglesia primitiva: «Estoy maravillado de que tan pronto os hayáis alejado del que os llamó por la gracia de Cristo, para seguir un evangelio diferente. No que haya otro, sino que hay algunos que os perturban y quieren pervertir el evangelio de Cristo. Mas si aun nosotros, *o un ángel del cielo*, os anunciare

---

10 Este no es el mismo del Antiguo Testamento. El sacerdocio aarónico para los mormones es un cargo especial y un concilio ordenado de líderes espirituales que reciben constante dirección de los ángeles.
11 McConkie, pp. 86-87.

otro evangelio diferente del que os hemos anunciado, sea anatema» (Gálatas 1.6-8, cursivas añadidas).

Un ángel inició el mormonismo y los ángeles lo han perpetuado. Los ángeles seductores, portadores de un evangelio diferente, no el Cristo del Nuevo Testamento, son los mediadores y reveladores del mormonismo. En notable contraste, el teólogo cristiano Karl Barth observó que los ángeles «son sólo los siervos de Dios y los seres humanos[...] Son esencialmente figuras marginales. Esta es su gloria». En otras palabras, los ángeles no están en el centro del verdadero evangelio cristiano. Jesús lo está.

CÓMO RECONOCER A LOS ÁNGELES SEDUCTORES

¿De qué manera podemos distinguir a los ángeles buenos y malos? Hace algunos años, J. Rodman Williams, un distinguido teólogo y autor de la nueva *Teología de renovación* en tres volúmenes, convino junto con otros líderes cristianos responder a la «actual expresión de preocupación respecto al libro *Ángels on Assignment* [Ángeles en servicio], del recientemente fallecido pastor Roland Buck». Basando sus amonestaciones en 1 Juan 4.1, donde se les manda a los cristianos: «probad los espíritus», y 1 Tesalonicenses 5.21, donde expresa: «examinadlo todo», el concilio recomendó cinco pruebas para la validez de un encuentro angélico:

Uno, ¿se identifica a los ángeles con nombres no bíblicos? Dos, ¿se les da una descripción extrabíblica a los ángeles? Tres, ¿desarrollan los ángeles papeles que van más allá de lo que la Biblia revela acerca de ellos? Cuatro, ¿son los ángeles fuentes de información adicional que va más allá de la enseñanza bíblica? Cinco, ¿están los ángeles de alguna manera proclamando otro evangelio, otro camino al cielo, una versión «revisada» del cristianismo?

Percátense de que la Biblia es la clave en cada una de estas pruebas. Veámoslas con más detalles.

Prueba 1. ¿Se identifica a los ángeles con nombres no bíblicos?
Gustav Davison, autor de *A Dictionary of Angels* [Un diccionario de ángeles], ha compilado una amplia colección de más de trescientas páginas de nombres específicos de ángeles, procedentes de una diversidad de fuentes, fundamentalmente no bíblicas. Como vimos en capítulos anteriores, en la Biblia aparecen sólo dos nombres de ángeles: Miguel y Gabriel. Davidson escribe: «Al principio pensaba que los ángeles, los que tienen nombre, deberían encontrarse sólo en la Biblia. Pronto aprendí que, por el contrario, la Biblia era el último lugar donde podía buscarlos».[12]

¿La Biblia es el *último* lugar para buscarlos? Observa. ¿Hay ángeles identificados con nombres no bíblicos? ¿Y en el libro de Davidson? Cientos. ¿En el caso del mormonismo? Sí. ¿Y en el de todos los libros recientes sobre ángeles de la Nueva Era? Sí, muchos. John Randolf Price, cuyo encuentro angélico mencioné al inicio de este capítulo, ha seleccionado y nombrado veintidós cualidades o virtudes con las cuales identifica ángeles específicos, como «el ángel de la sabiduría creadora», «el ángel de la abundancia» «y el ángel de las relaciones amorosas».

Price explica: «El universo es un macrocosmos de energía y poder creadores y cada mujer, hombre y niño es la epítome de esta totalidad del cosmos. Dentro de su campo de energía individual, el microcosmos llamado *usted*, hay veintidós poderes causales, o ángeles, que controlan su comportamiento consciente y gobiernan la manifestación de todas las formas y experiencias en su vida personal».[13] El «ángel de las relaciones amorosas» de Price, lo descubrimos casi al final del libro, encuentra su arquetipo en Krishna, maestro del cielo, un ser poderoso en el panteón de los dioses hindúes.

Lo que hace que estos libros sean tan terriblemente desconcertantes es la mezcla que tienen de Escrituras, creencias cristianas, religiones generales e ideas del movimiento de la Nueva Era. ¿Cómo nos presenta Price al ángel de la sabiduría creadora?

---

12 Davidson, p. xi.
13 Price, p. 9.

Citando la Biblia. Su línea inicial la toma del Salmo 91.11: «Pues a sus ángeles mandará acerca de ti, que te guarden en todos tus caminos».

Pero el ángel de la sabiduría creadora no está en lo más mínimo interesado en la Biblia. Es más, con audacia abandona la verdad por completo, mientras que este impresionante ángel repite: «Independientemente de lo que dice tu mente, ¿qué dice tu intuición?»[14]

Prueba 2. ¿Se les da una descripción extrabíblica a los ángeles?
En otras palabras, ¿cómo son los ángeles? ¿Es su apariencia como la de los ángeles de la Biblia? La Palabra de Dios no sólo revela que los ángeles existen, sino también nos dice cuál es su apariencia. Esto no significa que una persona debe contar su encuentro con un ángel en términos estrictamente bíblicos a fin de que se considere válido. Recuerden, cuando describimos el mundo espiritual, carecemos de palabras, y otros quizás vean y describan las cosas de diferentes maneras.

Pero las visiones angélicas de hoy deben tener una relación general a la apariencia de los ángeles en las Escrituras, y cuando alguien describe ángeles con muchos y poco comunes detalles, escuchen con atención. El centro de la Biblia siempre es el mensaje, no en cómo es exactamente el mensajero.

Para ilustrarlo, J. Rodman Williams usa una de las historias sobre ángeles de Roland Buck:

¡No hay dos iguales! Son de diversos tamaños, tienen estilos de peinado distintos y apariencias completamente diferentes. El estilo de peinado de Chrioni [un nombre de ángel no bíblico] es semejante al de muchos hombres de hoy en día y aparenta tener unos veinticinco años. No sé cuánto pesaría en libras terrenales, pero calculo que es de unas cuatrocientas libras. Es enorme, siete o más pies de alto, y a menudo [al parecer Buck lo vio muchas veces] viste con ropas sports, camisa y pantalón amplio color café. Su camisa se anuda en la parte de arriba con lo que pare-

14 Price, p. 5.

ciera un cordón de zapatos. Gabriel a menudo aparece [aparentemente Buck lo vio con frecuencia también] en una resplandeciente túnica blanca con un cinturón dorado radiante como de cinco pulgadas de ancho, con pantalón amplio color blanco y con unos zapatos de color bronceado muy bien lustrados.[15]

Esta fascinante, pero ficticia descripción de un ángel, va más allá de la modesta, aunque resplandeciente apariencia de los ángeles en la Biblia. Los detalles no prueban nada. Es más, demasiados detalles pueden probar en realidad que el ángel visto no era de Dios, porque los ángeles buenos simplemente no atraen demasiada atención. La descripción exacta y elaborada de ángeles que aparecen en su forma no terrenal desafían la misma esencia de los encuentros angélicos en la Biblia: esa clase indescriptible de manifestaciones.

Prueba 3. ¿Desarrollan los ángeles papeles que van más allá de lo que la Biblia revela acerca de ellos? En el libro de ángeles, con rasgos de la Nueva Era, de Terry Lynn Taylor, *Guardians of Hope*, los ángeles son, entre otras cosas, ¡mediadores y guardianes de un programa de recuperación de doce pasos! En una sección llamada «Práctica uno: tu sabio ángel guía interno», escribe:

Los ángeles nos pueden ayudar a comprender lo que significa la intuición de una manera personal. En la práctica, los ángeles se encargan de una gran parte de nuestro ser intuitivo. Viendo la intuición desde la perspectiva de la conciencia de un ángel, podemos decir que la misma es nuestra forma de conectarnos con un poder superior de conciencia y dirección[...] Para esta práctica, vaya al estado de ángel alfa y comience a imaginar su sistema y guía interior[...] Trate de pasar la necesidad de definir. [No piense acerca de la verdad.] En la medida que va profundizando en el ángel alfa, comience a sentirse como si fuera uno con la luz, uno con toda la creación en este lugar sin tiempo

---

15 J. Rodman Williams, «Angels on Assignment: A Paper from Melodyland School of Theology» [Ángeles en servicio: un trabajo de la Escuela de Teología Melodylan], Melodyland School of Theology, Anaheim, CA, s.f., no publicado, p. 7. La cita es de Roland Buck, dicha según Charles y Frances Hunter, *Angels on Assignment*, Hunter Books, Houston, TX, 1979, p. 45.

donde se libera de la carga terrenal y de su cuerpo. Imagine que se encuentra con su sistema de guía angélica.[16']

La experiencia espiritual como esta es genuinamente real, pero los ángeles del libro de Taylor hacen cosas que no encontramos en la Biblia.

Prueba 4. ¿Son los ángeles fuentes de información adicional que va más allá de la enseñanza bíblica? No hay mejor ejemplo para esto que el *Libro de Mormón*. Los mormomes tienen en tan alta estima lo que el ángel le reveló a José Smith, que se refieren devotamente al mismo como «escrituras».[17] Pablo escribió: «Pero aun si uno de nosotros o un ángel del cielo les predicara un evangelio distinto del que os hemos predicado, ¡que caiga bajo maldición eterna» (Gálatas 1.8, NVI).

Prueba 5. ¿Están los ángeles de alguna manera proclamando otro evangelio, otro camino al cielo, una versión «revisada» del cristianismo? Si hace esta pregunta en relación al mormonismo, por ejemplo, recibirá un inequívoco *sí*. Si haces esta pregunta acerca de los libros de ángeles de la Nueva Era, la respuesta es de nuevo *sí*.

Roland Buck hace la insultante observación: «Una cosa que Dios me dijo fue[...] contrario a mi teología[...] he predicado que una vez que usted deje de respirar, si no es salvo y no conoce a Dios, ha perdido el cielo. Dios me dijo que eso no era necesariamente así. Dijo que había un lugar donde los espíritus de las personas pueden permanecer por un poco de tiempo antes de ir a su morada permanente».

Buck recibe esta información de una autoridad aun mayor que la de Gabriel o Miguel, presumiblemente de Dios mismo. Pero sus palabras, tan alentadoras como pudieran ser, contradicen la Palabra de Dios acerca de lo que sucede a la gente cuando

16 Terry Lynn Taylor, *Guardians of Hope: The Angel Guide to Personal Growth* [Guardianes de esperanza: guía de ángeles para el crecimiento personal], H.J. Kramer, Tiburón, CA, 1992, pp. 91-93.

17 Williams, p. 12. Cita de Buck, p. 59.

muere: los justos van ante la presencia de Dios; los injustos van al hades. Lo que Roland Buck dice no pasa la quinta prueba.

En contraste, las experiencias genuinas con ángeles buenos siempre pasarán el cuidadoso análisis bíblico. Un ejemplo es la historia que me contó mi amiga Cheryl Sacks.

Era en 1977. Vivía en el área de Dallas, Texas, donde enseñaba inglés en la escuela superior. Me había mudado recientemente a un apartamento nuevo y los muebles de mi nueva habitación todavía no habían llegado. Por eso dormía sobre un colchón en el piso de mi cuarto.

Una mañana, me despertó muy temprano un ruido fuerte y constante. Parecía que el sonido estaba al lado de mi oído. Mi primer pensamiento fue que alguien cerca de mí estaba arrugando papel, pero cuando traté de abrir los ojos, la luz en mi cuarto era tan brillante que no pude abrirlos. La lucha por abrir los ojos duró por lo que me parecieron varios minutos. Finalmente, logrando un débil vistazo, vi a un enorme ser angélico a mi lado. Lo primero que recuerdo haber visto fueron las alas y me di cuenta que era lo que causaba ese ruido constante que había escuchado momentos antes. Me quedé sorprendida tanto por la belleza como por la blancura de las alas. Jamás había visto nada tan adorable. Ambas, las alas y las vestiduras del ángel, eran de un blanco brillante; un blanco diferente a cualquier otro terrenal jamás visto.

El ángel era enorme y parecía tocar el techo, pero no estaba segura. Miré hacia arriba, bien arriba, pero debido a la brillantez que irradiaba del ángel, nunca puede ver su rostro. Es más, tuve que dejar de mirar. Simplemente no podía mantener abiertos mis ojos.

Durante los siguientes días sentí la unción o presencia tangible del Señor en todo mi cuerpo.

La experiencia de Cheryl es semejante a los encuentros con ángeles de la Biblia. Usemos las cinco pruebas para evaluar lo que Cheryl experimentó:

Prueba 1: ¿Se identifican los ángeles por nombres no bíblicos? ¿En el caso de la historia de Cheryl? No.

Prueba 2: ¿Se les da una descripción extrabíblica a los ángeles? ¿En la historia de Cheryl? No. Sin duda vio un ángel, pero su descripción es vaga, general, carente de detalles. Y lo que nos dice sobre el ángel es muy parecido a lo que encontramos sobre los ángeles en la Biblia. Recuerde, una descripción altamente detallada sobre un ángel es sospechosa.

Prueba 3: ¿Desarrollan los ángeles papeles que van más allá de lo que la Biblia revela acerca de ellos? ¿En la historia de Cheryl? No. El ángel no hace nada inusual. Es más, el ángel de Cheryl no hizo nada, punto. Le pregunté a Cheryl por qué pensaba que se le había aparecido el ángel, si este no hizo ni dijo nada en particular. Afirmando que esta era su única experiencia de este tipo, me dijo que su vida espiritual, su andar con Dios, cambió dramáticamente a raíz del encuentro con el ángel. Sobre todo, estaba bien convencida del amor y la protección de Dios.

Prueba 4: ¿Son los ángeles fuentes de información adicional que va más allá de la enseñanza bíblica? ¿En el caso de Cheryl? En la experiencia de Cheryl, absolutamente no.

Prueba 5: ¿Están los ángeles de alguna manera proclamando otro evangelio, otro camino al cielo, una versión «revisada» del cristianismo? De nuevo, en el caso del ángel de Cheryl, de ninguna manera.

Con todo el reciente interés en los ángeles y lo paranormal, debemos estar en guardia. Si no discernimos, o si nos dejamos llevar por nuestro sentido de autoimportancia religiosa (no dispuestos a ser bíblicamente inconmovibles y siempre sinceros con nosotros mismos), «Abigrael», o «Moroni», o «Chrioni», o «la serpiente», o algún otro espíritu fantasma brillante nos llevará a religiones de tinieblas y de muerte.

Es muy necesario estudiar y ajustarse a lo que la Biblia nos dice acerca de los ángeles. Karl Barth insistía que el «profesor y maestro a quien debemos escuchar en esta materia sólo puede ser las Santas Escrituras del Antiguo y Nuevo Testamentos, que no debemos aceptar ninguna otra autoridad, que debemos escuchar de modo exhaustivo lo que esta guía tiene que decirnos, y que debemos respetar lo que dice y lo que no dice».[18]

---

18 Barth, p. 372.

CAPÍTULO DOCE

EN LA LÍNEA DE FUEGO

Pocas personas se percatan de la profunda parte que las fuerzas angélicas juegan en los acontecimientos humanos.
Billy Graham

Porque no tenemos lucha contra sangre y carne, sino contra principados, contra potestades, contra los gobernadores de las tinieblas de este siglo, contra huestes espirituales de maldad en las regiones celeste.
Efesios 6.12

Comprendía la guerra espiritual, pero en realidad jamás había experimentado una. Hasta 1987. Fue uno de los peores años. Servía de pastor en una iglesia grande y creciente, y todo iba tan bien como podía imaginar. Hasta le había dicho a mi esposa, en el verano de 1986, cuán maravillosamente nos estaba tratando la vida. Recuerdo que nos sentamos a la mesa a desayunar. Mientras los cálidos rayos del sol entraban por la ventana que daba a la bahía, hablaba de lo feliz que era y de que debía disfrutarlo, porque uno nunca sabe cuándo las cosas van a cambiar.

Y de verdad que las cosas cambiarían. Pequeños problemas, que desconocía hasta ese momento, se encubaban y crecían en nuestra iglesia como una bacteria en aguas estancadas en un cálido día de verano. En el lapso de seis meses, mi verano de felicidad se convirtió en invierno de descontento, seguido por primavera y verano de confusión y depresión. Y un otoño de muerte.

No tenía idea de todo lo que se podían lastimar y cuánto mal causar entre sí los socios y amigos cristianos. Fue una historia con un ciclo familiar conocido para quienes han estado en el trabajo cristiano por algún tiempo: malos entendidos, relaciones destruidas, heridas y dolor para todas las personas involucradas. No diría que haya considerado seriamente alguna vez la posibilidad de quitarme la vida, pero a finales del verano de 1987 tuve momentos cuando mi depresión era tan severa que pensé: «Siento la clase de desesperación que experimenta la gente cuando se suicida. Ahora entiendo por qué la gente no puede ver que su vida tenga una salida». Los miembros de mi familia pensaron que estaba perdiendo la razón.

Pero el año aún no había finalizado. En octubre, después de sentir una fuerte opresión en el pecho durante meses, mi corazón dejó de repente de latir regularmente, la arritmia era muy intensa. Mi cardiólogo, reconocido como uno de los mejores especialistas en el suroeste, diagnosticó después de muchos exámenes que tenía una miocardiopatía moderada: un debilitamiento del corazón de etiología desconocida. La única cura para la miocardiopatía, lo supe más tarde, es un trasplante de corazón.

Luego los miembros de la iglesia comenzaron a tener accidentes terribles. En noviembre, la esposa del pastor asociado de la iglesia se libró de la muerte, por unas cuantas pulgadas, en un serio accidente automovilístico en el trayecto de la iglesia a la casa. A dos millas de la iglesia, se impactó con una camioneta, manejada por alguien más de nuestra congregación, *que iba camino a la iglesia*.

Unos pocos días después de Navidad, el esposo de nuestra recepcionista se mató en un accidente en una autopista de una sola vía, y nuestro amado pastor de visitación, Warren Hill, murió de cáncer. Conduje un funeral tras otro durante los dos últimos días de 1987.

Fue una guerra espiritual de las peores. Fue como Apocalipsis 9.1-3 en miniatura:

> Y vi una estrella que cayó del cielo a la tierra; y se le dio la llave del pozo del abismo. Y abrió el pozo del abismo, y subió humo del pozo como humo de un gran horno; y se oscureció el sol y el aire por el humo del pozo. Y del humo salieron langostas sobre la tierra; y se les dio poder, como tienen poder los escorpiones de la tierra.

Hubo días, durante ese año, cuando parecía que grandes nubes de tinieblas ahogaban la vida de Dios en las oficinas de nuestra iglesia y en mi hogar. Sólo pude concluir que un ángel de las tinieblas, singularmente poderoso, «el gobernador de las tinieblas», tenía la misión de destruirnos.

Por otro lado, 1987 fue también el mejor de los años. Han pasado seis años y aún estoy vivo. Nuestra iglesia sobrevivió milagrosamente la crisis para convertirse en una de las doscientas iglesias de mayor crecimiento en Estados Unidos.[1] Y mi corazón está perfectamente. Por consiguiente, vi a un cardiólogo diferente, que me dio otro diagnóstico: «arritmia benigna». «Benigna» es una de las mejores palabras en la terminología médica. Y he desarrollado una profunda comprensión de cuán poderosamente forjan las fuerzas espirituales las circunstancias de nuestra vida.

Los ángeles son reales. Los demonios son reales. La vida es una guerra espiritual real. Una vez hubo una «batalla en los cielos». La Biblia dice: «Miguel *y sus ángeles* luchaban contra el

---

1 Según Church Growth Resource Center [Centro de recursos para el crecimiento de la iglesia], Bolivar, MO.

dragón; y luchaban el dragón *y sus ángeles*[...] el gran dragón, la serpiente antigua, que se llama diablo y Satanás[...] *fue arrojado a la tierra, y sus ángeles fueron arrojados con él*» (Apocalipsis 12.7-9, cursivas añadidas).

Y este es el problema. Nuestras luchas ahora, aquí en la tierra, «no son contra sangre y carne, sino[...] contra huestes espirituales de maldad en las regiones celestes» (Efesios 6.12).

Hasta este momento, he presentado la doctrina de ángeles y diablos, tratando de ayudarles a entender lo que la Biblia nos enseña acerca de la dimensión espiritual. Les he narrado muchas historias sobre ángeles, y he insertado algunas ideas y advertencias sobre los ángeles de las tinieblas. Pero un libro sobre ángeles de las tinieblas y de la luz no estaría completo sin una mirada al cuadro completo. En otras palabras, cada uno necesitamos entender cómo los ángeles y los demonios encajan en el esquema general de las cosas, en los propósitos eternos de Dios para su creación.

EL CUADRO COMPLETO

¿Alguna vez han intentado armar uno de esos rompecabezas difíciles con cientos de piezas? Nosotros hemos armado varios durante algunas tardes de ocio en verano. Algunos son sumamente complicados, pero aun hasta los más simples, son casi imposibles de armar sin la fotografía de la cubierta de la caja. La cubierta de cartón es el «cuadro completo» que usamos para darnos una idea general de dónde va la pieza en relación al todo.

La Biblia es como un rompecabezas complicado, con decenas de miles de piezas, nosotros les llamamos versículos, que juntas forman el cuadro del plan eterno de Dios. La figura completa en la cubierta de la caja, *el tema principal de la Biblia*, es el Reino de Dios.

En un análisis reciente de las diez tendencias más importantes que enfrenta la iglesia de hoy, el autor de mayores ventas, Howard Snyder, cree que una gran posibilidad es que la iglesia se mueva de las tradiciones institucionales cerradas hacia una teología global del reino.

«En la década pasada», escribe, «los pensadores cristianos en varias partes del mundo han vuelto al tema bíblico del gobierno soberano de Dios como el modelo básico para la teología cristiana en la ciudad global».[2]

El Reino de Dios es un tema tan clave en la Biblia, que el escritor cristiano Richard Lovelace afirma: «El reino mesiánico no sólo es el tema principal de la predicación de Jesús; es la categoría central que unifica la revelación bíblica».[3] En otras palabras, el tema del Reino es lo que mantiene todo unido.

Otro escritor cristiano, John Bright, cree que «el concepto del reino de Dios constituye, en sentido real, el mensaje total de la Biblia».[4]

Ron Boehme, un líder en la enorme organización Youth With A Mission (YWAM) [«Juventud Con Una Misión» (JUCUM)], hace eco de estas creencias en su libro *Leadership for the 21st Century*: «El mensaje principal de la cristiandad es de que el Rey ha venido y que su Reino se está estableciendo ahora entre todos los pueblos de la tierra. El Reino y su Rey son el centro de la realidad[...] El Reino de Dios es el mensaje central de la Biblia».[5] Boehme cita al gran predicador, Dr. E. Stanley Jones:

Si tiene las llaves del Reino, ha encontrado una llave maestra, la llave para la vida aquí y la venidera, para la vida individual y colectiva[...] De ahí que para que la iglesia sea relevante, la respuesta es simple: Descubrir, rendirse y hacer del Reino la lealtad y el programa de su vida.[6]

El cuadro completo, el tema principal de la Biblia, es el Reino de Dios. Definido de manera simple: *el Reino de Dios es su gobierno sobre toda su creación*. Además, el Reino ahora solo está

---

2   Howard Snyder y Daniel Runyon, *Foresight: Ten Major Trends that Will Dramatically Affect the Future of Christians and the Church* [Precaución: diez tendencias principales que afectarán dramáticamente el futuro de los cristianos y de la Iglesia], Thomas Nelson, Nashville, 1986, p. 68.

3   Según citan Snyder y Runyon, p. 69.

4   Según citan Snyder y Runyon, p. 69.

5   Ron Boehme, *Leadership for the 21st Century: Changing Nations Through the Power of Serving* [Liderazgo para el siglo veintiuno: cambiando las naciones a través del poder del servicio], YWAM Publishers/Frontline Communications, Seattle, 1989), 188, cursivas añadidas.

6   Según cita Boehme, p. 44.

parcialmente revelado, pero se manifestará en su totalidad cuando Jesús vuelva. El Señor lo dijo de manera sencilla cuando nos enseñó a orar: «Venga tu reino. Hágase tu voluntad, como en el cielo, así también en la tierra». Dios quiere imprimir tanto como sea posible de su presencia y su forma de hacer las cosas en este mundo, y nos ha escogido para hacerlo a través nuestro. Jesús dijo: «Vosotros sois la sal de la tierra[...] Vosotros sois la luz del mundo» (Mateo 5.13-14).

UNA CUESTIÓN DE DOMINIO

El mensaje de la Biblia, decíamos, es el relato del Reino de Dios. Todas las piezas del rompecabezas, incluyendo a los ángeles de las tinieblas y la luz, de algún modo encajan en el gran cuadro. Comenzando por el capítulo uno, la primera orden de trabajo de Dios para Adán y Eva fue que sojuzgaran toda la tierra, que sojuzgaran,[7] algo que la serpiente exigió casi de inmediato.

El propósito del diablo no fue sólo tentar a la primera pareja para que hiciera algo malo, sino destruir el sistema de la autoridad de Dios recién inaugurado en la tierra: los seres humanos. Satanás no iba a permitir que Adán y Eva tuvieran dominio si él podía impedirlo. Quería todo ese dominio para sí, lo cual, como vimos en un capítulo anterior, fue la causa de su caída original.

Todo el mundo sabe la historia y, como resultado, ha sufrido. Adán y Eva pecaron, pero a partir de su desdichado fracaso nació la resurrección del propósito original de Dios para la humanidad: dominar sobre la tierra. Dios prometió que algún día

---

7 La versión «Dios habla hoy» usa la expresión «dominad». Se ha debatido bastante en los años recientes sobre la «teología del dominio». El Reino de Dios, según lo entiendo, es eterno y espiritual, pero con profundas implicaciones para el tiempo y la tierra. Lo que sucede en el cielo, como hemos mostrado a través de este libro, influye en lo que sucede en la vida, aquí y ahora. No mantengo la posición, sin embargo, de que el avance del Reino significa que de algún modo la Iglesia «cristianizará» el sistema mundial. La espada se convertirá en arado sólo cuando Cristo regrese en gloria a juzgar a los vivos y a los muertos. Entonces, y sólo entonces, el Reino se instaurará a plenitud, mientras que el cielo viejo y la tierra vieja pasarán.

la simiente de la mujer, una referencia profética a Cristo, sobre quien el Nuevo Testamento se refiere como el «postrer Adán» (1 Corintios 15.45), vendría y aplastaría la cabeza de la serpiente (Génesis 3.15). La influencia de Satanás en la tierra se destruirá y el Reino de Dios se establecerá.

El resto de la Biblia, entonces, es: (1) la historia del pueblo de Dios, Israel, que sirve como portador de esa «semilla»; (2) una promesa de cómo la Semilla, el Mesías, el Cristo, desarma finalmente los poderes del infierno, «triunfando sobre ellos en la cruz» (Colosenses 2.15); y (3) una guía que describe cómo la Iglesia debe llevar a cabo la misión.

En una repetición imprecisa del huerto de Edén, esta vez en el desierto, la serpiente trata de aplicar su mismo engaño al Hijo de Dios. ¿Su meta? Destruir al postrer Adán de la misma manera que derribó al primer Adán, distorsionando la Palabra de Dios, tratando de que Jesús dudara de las palabras de Dios y hacerlo desobedecer.

El diablo lleva a Jesús al lugar más alto «y le mostró en un momento *todos los reinos* de la tierra». Y le dijo a Jesús, tal vez de manera muy cortés: «A ti te daré *toda esta potestad*, y la gloria de ellos[...] *Si* tú postrado me adorares» (Lucas 4.5-7, cursivas añadidas). Jesús no se dobló ni inclinó. Reprendió al gran ángel de las tinieblas: «Al Señor tu Dios adorarás, y a Él solo servirás».

Jesús rehusó confrontar al diablo bajo los términos de este, pero tres años más tarde tomó al diablo bajo los términos de Dios, la cruz y arrebató así la autoridad del reino. «*Toda potestad me es dada en el cielo y en la tierra*» (Mateo 28.18), proclamó Jesús después de su resurrección. Pero no por el diablo, quien le hizo la engañosa propuesta al principio. El Padre celestial exaltó al Hijo sobre todo nombre que ha sido dado, y le dio las llaves del infierno y la muerte. La autoridad del Reino de Dios se estableció en la tierra a través del bastión del Calvario.

El supremo sacrificio de Cristo en la cruz demostró su incomprensible amor y lo llevó a su victoria final. A causa de esto, Pablo pudo escribir Romanos 8: «En todas estas cosas somos más que vencedores por medio de aquel que nos amó».

«Por lo cual estoy seguro» dice Pablo, «que ni la muerte, ni la vida, *ni ángeles, ni principados, ni potestades*[...] ni ninguna cosa creada nos podrá separar del amor de Dios, que es en Cristo Jesús Señor nuestro» (Romanos 8.37-39, cursivas añadidas).

El Reino de Dios es un tema fundamental en la Biblia, y Jesús es el Rey. Es el Señor. Cuando Dios lo levantó de la muerte, lo sentó «a su diestra en los lugares celestiales, sobre todo principado y autoridad y poder y señorío» en los cielos y en la tierra (Efesios 1.20-21).

ACERCAR EL REINO DE DIOS A LA TIERRA

Si bien Satanás ha sido vencido y sentenciado, su juicio está pendiente y la batalla de su ira continúa. Los ángeles de la luz y las tinieblas son los ejércitos espirituales de los reinos del cielo y del infierno. Y usted y yo estamos en medio de todo esto. Dios ha sometido todas las cosas bajo los pies de Cristo, incluyendo la cabeza de la serpiente: «Y lo dio por cabeza sobre todas las cosas *a la iglesia, la cual es su cuerpo, la plenitud de Aquel que todo lo llena en todo*» (Efesios 1.22-23, cursivas añadidas). Dios ha escogido expresar y demostrar la autoridad de su Reino a través de la Iglesia, como Pablo añade que el propósito era que «la multiforme sabiduría de Dios sea ahora dada a conocer por medio de la iglesia a los principados y potestades en los lugares celestiales» (Efesios 3.10).

Esto fue «conforme al propósito eterno». En otras palabras, Dios tenía a la Iglesia y su misión en mente desde el mismo principio. Estamos en medio de un gran drama cósmico que pone en escena el propósito de Dios frente a una audiencia de ángeles, de las tinieblas y la luz. Esto fue, «conforme al propósito eterno», Pablo continúa, «que hizo en Cristo Jesús nuestro Señor», el postrer Adán. Dios no lo cumplió mediante el primer Adán. A través del avance de la Iglesia, Dios recupera su territorio tierra de manos del diablo.

Tengo un destino. No estoy aquí nada más que para sobrevivir. Y sin duda no estoy aquí por mi voluntad. Soy parte de un «cuadro completo». El cómo entienda mi papel, cómo mis piezas encajan en el cuadro total, junto con el propósito eterno de Dios, es de vital importancia. El gran revivalista del siglo diecinueve Charles Finney escribió apasionadamente:

> Ahora la gran labor de la Iglesia es reformar el mundo, echar a un lado cada pecado[...] La iglesia cristiana fue creada para hacer movimientos agresivos en todas direcciones, para levantar cada voz y poner su energía en lugares altos y bajos, para reformar individuos, comunidades y gobiernos, y jamás descansar hasta que *el Reino y la grandeza del Reino* bajo el cielo sean dadas a los santos del Dios supremo, hasta que cada forma de iniquidad sea quitada de la tierra.[8]

Nosotros sabemos quién gana al final: «Los reinos del mundo han venido a ser de nuestro Señor y de su Cristo; y Él reinará por los siglos de los siglos» (Apocalipsis 11.15)

Es sólo desde la perspectiva del Reino, «el cuadro completo», que descubriremos:

- Los altos propósitos de Dios
- la razón de la guerra espiritual
- el papel de los ángeles y los demonios
- nuestro papel en medio de todo esto

En otras palabras, todo lo que he escrito en los capítulos anteriores, no se comprenderá del todo sin el cuadro completo. Los ángeles y los demonios no son sólo notas fascinantes en el estudio de la doctrina cristiana. Todo tiene que encajar en su lugar.

Hay una guerra que se libra a nuestro alrededor, y nosotros no somos simples expectadores. *Los cristianos, junto con los ángeles de la luz, son participantes activos en el avance de los propósitos del Reino de Dios en la tierra*. Y el diablo y sus ángeles de las tinieblas *nos resistirán*. Algunas veces con sutiles tentaciones para pecar. Otras con inteligentes engaños o con feroz poder y odio.

Pero en Cristo somos más que vencedores, y los santos ángeles están a nuestro lado para protegernos y librar junto a no-

---

8   Según cita Donald W. Dayton, *Raíces teológicas del pentecostalismo*, Nueva Creación/Eerdmans, Grand Rapids, MI (p. 155 del original en inglés).

sotros la batalla. En el capítulo final les daré algunos pensamientos y estrategias de cómo «tratar» a los ángeles de la luz y cómo defenderse en contra de los ángeles de las tinieblas.

CAPÍTULO TRECE

ACOJAMOS LA LUZ, RECHACEMOS LAS TINIEBLAS

Nuestra certidumbre de que los ángeles en este momento son testigos de cómo andamos por la vida debe influir poderosamente en las decisiones que tomamos. Dios nos ve y sus ángeles también son espectadores interesados.

Billy Graham

Si entonces tenemos ángeles, seamos sobrios, como si estuviéramos en la presencia de tutores; porque también hay un demonio presente. **Crisóstomo**

Si los ángeles nos guardan, tienen que vernos para cuidarnos. Pablo escribió en 1 Corintios 4.9: «Porque según pienso, Dios nos ha exhibido a nosotros los apóstoles como postreros, como a sentenciados a muerte; pues hemos llegado a ser espectáculo al mundo, *a los ángeles y a los hombres*» (cursivas añadidas).

Billy Graham nos dice en su libro de mayor venta sobre los ángeles que este versículo alude a los coliseos de muerte del primer siglo, donde las multitudes de vulgares espectadores veían matar animales como un deporte, a los hombres que se batían a muerte y, más tarde, a los cristianos descuartizados por los leones. En otras palabras, Pablo sugiere aquí que este mundo es un vasto estadio, un gran escenario, y todos somos parte del drama de redención y justicia.

Nos ven de muy cerca, pero no pasivamente. Un escritor dice: «No tengo ningún encuentro dramático que relatar sobre alguna visión angélica. No obstante, a través de toda mi vida, desde mis primeros recuerdos, los cuales fueron muy temprano y son muy vívidos[...] Estoy consciente de la dirección que me viene desde fuentes externas».[1]

Difícilmente existe un ser humano que no se haya sentido de esa manera. La vida no es, como Marx y Darwin nos querían hacer creer, una secuencia casual de hechos no relacionados. Algo me está empujando suavemente —a cada uno de nosotros— a la derecha o a la izquierda, algunas veces previniéndome de moverme hacia adelante, con frecuencia empujándome desde atrás. Dios «me guiará por sendas de justicia» (Salmo 23.3), y sus santos ángeles ayudan en el proceso. Cuando Dios retira su mano protectora, estamos a la misericordia de los ángeles de las tinieblas. Y ellos no tiene misericordia.

ACOGER A LOS ÁNGELES

El libro de Jueces describe una de las eras más oscuras en la historia hebrea. Los judíos estaba sin un gobierno central, y Dios había retirado su protección, dejando al pueblo de Israel abierto

---

1 Geddes MacGregor, *Angels: Ministers of Grace* [Ángeles: ministros de gracia], Paragon House Publishers, New York, 1987, p. 199.

a los ataques de los poderes del infierno. «El ángel de Jehová», se nos dice, «subió de Gilgal a Boquim [literalmente "llanto"], y dijo: Yo os saqué de Egipto, y os introduje en la tierra de la cual había jurado a vuestros padres». El ángel del Señor apareció para anunciar su disgusto por la forma equivocada en que los hebreos realizaron la conquista de Canaán, particularmente por su fallo de no destruir por completo a los habitantes de los alrededores de la tierra.

Véase cómo el ángel dijo «yo os saqué» y «os introduje». Su papel no fue pasivo. Pero debido a que Israel desobedeció (en este caso, hicieron pactos con los cananeos y no destruyeron los altares) el ángel de Jehová proclamó: «No los echaré de delante de vosotros, sino que serán azotes para vuestros costados, *y sus dioses* os serán tropezadero» (Jueces 2.1-3, cursivas añadidas).

Los ángeles no velan por nosotros pasivamente. Influyen activamente en nuestras vidas, tanto para bien como para mal. Y sus actividades, como nos aclara este texto bíblico, están relacionadas de manera directa con la forma en que vivimos. Veámoslo de nuevo: «Mas vosotros no habéis atendido a mi voz», amonesta el ángel. «¿Por qué habéis hecho esto? Por tanto[...] serán azotes para vuestros costados».

La vida es peligrosa. La vida es una guerra espiritual. Y tal parece que la mayor parte del tiempo pensamos acerca de cómo podemos estar bajo la influencia de los ángeles de las tinieblas, cómo nos manipula el diablo para nuestra destrucción. David escribió en el Salmo 27: «Enséñame, oh Jehová, tu camino, y guíame por senda de rectitud». ¿Por qué? «*A causa de mis enemigos*. No me entregues a la voluntad de mis enemigos» (Salmo 27.11-12, cursivas añadidas). Realmente es importante andar por el camino recto y angosto, no porque estemos seguros de que vamos a ir al infierno si no lo hacemos, más bien porque es seguro que el infierno venga a tocar a nuestra puerta.

En el Salmo 34.7 leemos: «El ángel de Jehová acampa alrededor de *los que le temen*, y los defiende» (cursivas añadidas). No pasen por alto la condición. El temor a Dios invita a su presencia y la de los ángeles que lo acompañan. No temerlo es todo lo contrario. Pablo desafía al joven Timoteo: «Te encarezco delante de Dios y del Señor Jesucristo, *y de sus ángeles escogidos*, que guardes estas cosas». Andar por el camino recto y estrecho, porque alguien está velando.

Esto es tal vez el meollo de lo que Pablo dice acaloradamente acerca del debatido texto de la Escritura, 1 Corintios 11.5-10:

> Pero toda mujer que ora o profetiza con la cabeza descubierta, afrenta su cabeza; porque lo mismo es que si se hubiese rapado. Porque si la mujer no se cubre, que se corte también el cabello; y si le es vergonzoso a la mujer cortarse el cabello o raparse, que se cubra[...] Por lo cual la mujer debe tener señal de autoridad sobre su cabeza, *por causa de los ángeles* (cursivas añadidas).

Sin ir más lejos en el asunto que aquí está bastante cargado, ni qué tan largo debe ser el cabello de la mujer,[2] el mensaje central en este pasaje de la Biblia es que los ángeles escudriñan nuestras conductas. Gordon Fee, en su bien aclamado comentario sobre 1 Corintios, señala que con anterioridad a la carta de Pablo (1 Corintios 4.9), «los ángeles se consideran como parte de un universo total ante quienes la vida cristiana de Pablo está mostrándose. Algunos argumentan, por lo tanto, que los ángeles estaban presentes en la asamblea cristiana como "guardianes del orden creado"»,[3] esto es, de las relaciones e interacciones entre las mujeres y los hombres.

Lo que Pablo escribió aquí respecto a los ángeles guardianes quizás también tenga relación con lo que se enseñaba en la antigua comunidad religiosa judía del Qumrán, de que los ángeles participaban de la adoración pública y ayudaban en ella.[4] El teólogo Henry Theissen concluyó que este versículo significa lo siguiente: «Los ángeles buenos guardan todos los asuntos huma-

---

2 Gordon Fee hace notar que «este pasaje está lleno de notorias dificultades exegéticas» (p. 492). En otras palabras, cualquier intento de descubrir el significado de 1 Corintios 11 sería tomar algo que va más allá del propósito de este libro. Para mayor información, véase el comentario de Fee: *The New International Commentary on the New Testament: 1 Corinthians* [El Nuevo Comentario Internacional del Nuevo Testamento: 1 Corintios], Eerdmans, Grand Rapids, MI, 1987.

3 Fee, p. 521.

4 Fee, p. 521.

nos con profundo interés y[...] se sentirían apenados si ven que se comete cualquier infracción a las leyes de la modestia».[5]

Los ángeles no sólo nos cuidan. Nos observan, punto. Ven cómo lee este libro acerca de ellos. En cierto modo, esto debe ser aún más frustrante que saber que Dios nos ve. Estamos acostumbrados a que nos vea Dios. ¿Pero a la multitud de seres celestiales? ¿Viéndome orar? ¿Viéndome comer? ¿Viéndome maldecir a mi destartalada cortadora de césped bajo el sol ardiente de Arizona en un día de verano?

Mi punto es este: no haríamos muchas cosas de las que hacemos si nuestra madre nos mirara. Si nuestra cuñada nos viera. Si la pastora nos observara. Pero se nos olvida. Los ángeles de las tinieblas y de la luz nos ven de continuo. Santa Hilaria escribió: «Cuando nos sobreviene un mal deseo, ¿no debiéramos temblar ante la presencia de los coros angelicales que nos rodean?»[6] Sin duda, una desmedida preocupación por la omnipresencia de espíritus sería simplemente insana. Y por fortuna, la mayor parte del tiempo los ángeles permanecen bien escondidos. Pero, quizás, si el mundo de los espíritus nos fuera más real, nos mantendría caminando más cerca de Dios. Tal vez nos ayudaría a hacer un poco menos de las cosas de las cuales nos arrepentimos.

En resumen, *los ángeles de la luz vienen en nuestra ayuda cuando creemos y obedecemos a Dios, y los ángeles de las tinieblas vienen a oprimirnos cuando no lo hacemos.* De esta manera tenemos que el escritor católico Jean Danielou observa: «El ser humano se encuentra a sí mismo en medio de una guerra espiritual entre los poderes de la luz y los poderes de las tinieblas».[7] Y Gregorio de Nisa escribió: «Nuestra humana debilidad es protegida con la ayuda de los ángeles y[...] en todos nuestros peligros, la fe aprobada permanece con nosotros, somos defendidos con la ayuda de poderes espirituales».

5 Henry Theissen, *Lectures in Systematica Theology* [Lecciones de teología sistemática], Eerdmans, Grand Rapids, MI, 1949, p. 207.
6 Según cita Danielou, p. 82.
7 Danielou, p. 81.

ॐ ॐ ॐ

La dimensión espiritual es real, y usted y yo tenemos la capacidad de invitar a los poderes del mundo invisible a nuestra vida y nuestra experiencia.

ॐ ॐ ॐ

Lo que hace, bueno o malo, da cabida a la participación angélica en su vida, para bien o para mal. Ya conocimos a los ángeles de la Nueva Era en un capítulo previo, pero vamos a visitarlos de nuevo por un momento. Los ángeles, como ya vimos, se han vuelto más populares que nunca. Ayer mismo, mi ejemplar semanal de la revista *Times* llegó por correo. El artículo de la portada era: «La nueva era de ángeles».[8]

Hablar con ángeles se ha puesto rápidamente de moda. Invitarlos en su vida con todo propósito. Pedirles que le hablen, que trabajen para usted. Ya he mencionado un libro reciente, un libro de los más vendidos titulado *Ask Your Angels*. Es, como el subtítulo nos invita, «una guía práctica para trabajar con los mensajeros del cielo para fortalecer y enriquecer su vida». Ya he mencionado que la Biblia en ninguna parte sugiere que estemos «trabajando con los mensajeros del cielo», si bien es cierto que ellos trabajan con nosotros.

No obstante, los autores de este mismo libro de la Nueva Era[9] escriben tentadoramente: «La gente en nuestros talleres está fascinada de cuán fácil es hablar con sus ángeles».[10] Y una vez que se ha sintonizado con los ángeles, añade el autor, «se dará cuenta de que podrá recibir otras estaciones también: voces que le guían, extraterrestres [aquí tenemos otra vez a la tripulación de los OVNIS] y espíritus naturales».[11]

Estoy absolutamente convencido de que estos autores hablan acerca de encuentros reales con espíritus reales. No inventan nada de esto. Lo que describen con cautivadores detalles les su-

---

8 *Time*, 27 de diciembre de 1993.
9 Un capítulo trata sobre «Visualización grupal para la sanidad planetaria».
10 Daniel, *et al.*, p. 167.
11 Daniel, *et al.*, p. 173.

cede a ellos en realidad y también a sus lectores. La dimensión espiritual es cierta, y usted y yo tenemos la capacidad de invitar a los poderes del mundo invisible a nuestra vida y a nuestra experiencia.

Pero hacerlo adrede es algo peligroso. Las experiencias religiosas sin la verdad son como un automóvil sin el volante. No tiene control de hacia dónde le conduce la experiencia y quizás terminará estrellándose.

La mayoría de las personas, sin embargo, no han llegado tan lejos. La conversación con un ángel no es una experiencia común. La mayor parte de nuestras relaciones con los ángeles de las tinieblas es mucho más sutil. Tiene que ver, como ya he sugerido en este capítulo, con nuestros pensamientos y comportamiento. Es más, pienso que el diablo lo prefiere así. Su trabajo es, casi siempre, indirecto y por debajo del agua, pero igualmente poderoso como cuando aparece como un ser en forma de ángel. Por eso necesitamos ser sabios acerca de las fuerzas ocultas que dan forma a nuestras vidas.

LA ARMADURA DE DIOS: RESISTIR LAS TINIEBLAS

El bien conocido pasaje acerca de la armadura de Dios en Efesios 6 nos dice cómo resistir los ataques más inteligentes de los ángeles de las tinieblas, y lo hace en dos formas: *directamente*, diciéndonos qué necesitamos hacer para resistir los avances del diablo, e *indirectamente*, al decirnos qué áreas de nuestra vida son más vulnerables a los ataques de los ángeles de las tinieblas. En otras palabras, no sólo necesitamos la armadura, sino también por qué la necesitamos. A todo soldado que está en preparación combativa no sólo se le provee el equipo apropiado y se le enseña a usar, también se le enseña para qué se necesita.

Podemos comenzar por exponer las artimañas del diablo preguntándonos por qué tal o cual pieza de la armadura es necesaria. En otras palabras, si entendemos *por qué* cada pieza de la armadura es importante, reconoceremos las vías específicas que los ángeles de las tinieblas usan para ir a nuestro corazón. Pablo escribe:

Porque no tenemos lucha contra sangre y carne, sino contra principados, contra potestades, contra los gobernadores de las tinieblas de este siglo, contra huestes espirituales de maldad en las regiones celestes. Por tanto, tomad toda la armadura de Dios, para que podáis resistir en el día malo, y habiendo acabado todo, estar firmes. Estad, pues, firmes, **ceñidos vuestros lomos con la verdad**, y vestidos con la **coraza de justicia**, y **calzados los pies con el apresto del evangelio de la paz**. Sobre todo, tomad el **escudo de la fe**, con que podáis apagar todos los dardos de fuego del maligno. Y tomad **el yelmo de la salvación**, y la espada del Espíritu, que es la palabra de Dios.

Efesios 6.12-16 (énfasis añadido)

Ceñidos [...] con la verdad. La paráfrasis *La Biblia al día*, lo expresa así: «El firme cinturón de la verdad». El cinturón de la verdad es el primero de seis elementos de la armadura en Efesios 6. ¿Qué es? Tal vez debiéramos comenzar a hablar acerca de qué *no es*. El cinturón de la verdad en este contexto no es la verdad de la doctrina ni el credo. Eso viene después, cuando Pablo nos dice que necesitamos la espada del Espíritu, la cual es la Palabra de Dios. La espada del Espíritu es un arma *ofensiva*: el poder de la Palabra ungida de Dios hablada con verdadera fe.

El cinturón de la verdad, por su parte, se refiere a lo que pasa en su vida: la verdad que guarda sus partes privadas. El clásico comentario *The Expositor's Greek Testament* define el cinturón de la verdad como «la gracia personal del candor, sinceridad, confiabilidad[...] la mente que no practicará engaño ni usará disfraces»[12] ¿Qué nos dice indirectamente acerca de los ángeles de las tinieblas? Que se especializan en pretensiones y disfraces, de manera que si no es sincero, ni verdadero, ni honesto con usted mismo, es posible que invite así a los malos espíritus a su vida.

Satanás es el padre de mentira. Es lógico concluir que, mientras más viva en la mentira, más poder de Satanás tomará su alma.

Esto le sucedió a Ananías y Safira. Muy al inicio de la historia

---

12 W. Robertson Nicoll, ed., *The Expositor's Greek Testament* [Expositor del Testamento Griego], Eerdmans, Grand Rapids, MI, 1974, vol. 3, p. 386.

de la Iglesia, como narra el libro de Hechos, las personas vendían todo lo que tenían para ayudar al trabajo del ministerio y entre ellas mismos. Ananías y Safira su mujer hicieron lo mismo. *Casi.* Vendieron lo que tenían y dieron *casi* todo a los apóstoles. No había problema con ellos, pero dieron la impresión, *pretendían*, de que lo daban todo. Escuchen la evaluación espiritual de Pedro sobre lo sucedido: «Ananías, ¿por qué llenó Satanás tu corazón para que mintieses al Espíritu Santo? (Hechos 5.3). El engaño de Ananías fue un puerta de entrada para el ángel de engaño de las tinieblas.

En el popular libro *People of the Lie*, M. Scott Peck escribe: «Además de ser el padre de mentiras, Satanás también puede decirse que es el espíritu de las enfermedades mentales. En *The Road Less Travelled* [El camino menos transitado], defino la salud mental como "un proceso constante de dedicación a la realidad con todo lo que cueste". Satanás está absolutamente dedicado a oponerse a ese proceso».[13] Con los programas de los Doce Pasos se ha descubierto el debilitante poder del autoengaño. Le llaman *negación*. Tenemos que reconocer, entonces, que nuestro adversario espiritual está especializado en mentiras, y por ello necesitamos ponernos el cinturón de la verdad como si nuestra vida dependiera de ello.

La coraza de justicia. ¿Qué nos dice la coraza de justicia acerca de las artimañas del diablo y de los ángeles de las tinieblas? Estos son los maestros de la injusticia. Es un riesgo enorme pasar por alto la Palabra de Dios, viviendo a su antojo. No sólo el pecado es autodestructivo, sino que es como una grieta en un dique: las malas conductas liberan un diluvio de opresión espiritual. «Hay camino», escribió Salomón en Proverbios, «que al hombre le parece derecho; pero su fin es camino de muerte» (Proverbios 14.12).

Pablo lo dice sin rodeos: «Y Él os dio vida a vosotros, cuando

---

13 M. Scott Peck, *People of the Lie: The Hope for Healing Human Evil* [El pueblo de la mentira: la esperanza de sanar la maldad humana], Simon & Schuster, Nueva York, 1983, p. 207. Scott Peck es bastante leído y conocido por ser siquiatra cristiano, si bien algunas porciones de sus escritos son decididamente antiortodoxas.

estabais muertos en vuestros delitos y pecados, en los cuales anduvisteis en otro tiempo, siguiendo la corriente de este mundo, conforme al príncipe de la potestad del aire, el espíritu que ahora opera en los hijos de desobediencia» (Efesios 2.1-2). Aquí Pablo nos dice que la mala conducta viene del infierno y tiene terrible consecuencias y una de ellas es la inútil participación de las fuerzas de las tinieblas en nuestra vida. Lo más terrible de todo es que quienes se dejan influenciar para hacer el mal, casi nunca tienen ni la menor idea de que viven «bajo la influencia».

Pablo toca de nuevo este punto en Efesios 4: «Airaos», Pablo advierte, «pero no pequéis; no se ponga el sol sobre vuestro enojo». ¿Por qué? Porque así le daríamos «lugar al diablo». En otras palabras, si dejamos que nuestra ira se desenfrene, corremos el riesgo de exponernos a la influencia directa de los ángeles de las tinieblas. Merrill Unger, renombrado erudito del Antiguo Testamento, escribió en *Demonios en el mundo moderno*: «Es posible para un creyente experimentar severa influencia u obsesión de demonios si es que persistentemente cede a la tentación demoníaca y al pecado».[14]

De manera que resistamos al diablo y a sus ángeles poniéndonos la coraza de la aprobación divina, protegiéndonos con santidad.

Calzados los pies con el apresto de la paz. Jesús declaró: «Bienaventurados los pacificadores, porque ellos serán llamados hijos de Dios» (Mateo 5.9). Y bien, ¿por qué ser pacificadores nos califica como hijos de Dios? Porque Dios está en el negocio de hacer la paz. Reconciliación es la palabra teológica para esto. «Paz en la tierra», cantaron los ángeles cuando Cristo nació. Pablo lo resumió así: «Que Dios estaba en Cristo reconciliando consigo al mundo, no tomándoles en cuenta a los hombres sus pecados, y nos encargó a nosotros la palabra de la reconciliación» (2 Corintios 5.19).

A veces pienso que esta es el área de mayor éxito para el diablo: romper la paz. La paz es intangible. La paz no sucede

---

14 Merril Unger, *Demonios en el mundo moderno*, Logoi, Miami, FL (p. 116 del original en inglés).

porque sí. Tenemos que procurarla. Tenemos que hacer que se dé. Como Dios lo hizo cuando envió a su Hijo al mundo en una misión de perdón y reconciliación. Pero el mundo siguió lleno de conflictos. En las duras calles de las oscuras ciudades. Entre las naciones. Entre las razas y grupos étnicos. Nacionalismo, como se le ha llamado a las carnicerías étnicas en Europa oriental, es una máscara inteligente para el odio, una maligna enfermedad intercultural expandida por el diablo mismo.

Sucede en las familias constantemente. Prevalece la hostilidad y se terminan los matrimonios, involucrando a los pequeños en un abismo de confusión, resentimiento y vergüenza. Y la maldición continúa a medida que el divorcio ataca a una generación tras otra. «Mirad bien», dice la Biblia, «no sea que alguno deje de alcanzar la gracia de Dios; que brotando alguna raíz de amargura, os estorbe, y por ella muchos sean contaminados» (Hebreos 12.15).

Como nuestra lucha *no* es contra carne y sangre, sino contra la básica división de ángeles de las tinieblas, debemos ponernos los zapatos con el apresto de la paz. A dondequiera que nos lleve el camino de la vida, debemos estar listos para hacer la paz, no la guerra. Conflictos y divisiones, las cosas que erosionan las relaciones, parecieran ocurrir con naturalidad, debido a la prominencia del egoísmo humano y el pecado.

En realidad, no tenemos que buscar pelea. Tarde o temprano se nos va a presentar en el camino sin buscarla. Jesús dijo: «Imposible es que no vengan tropiezos; mas ¡ay de aquel por quien vienen!» (Lucas 17.1). Pero Pablo responde: «Así que, *sigamos lo que contribuye* a la paz y a la mutua edificación» (Romanos 14.19, cursivas añadidas). Repito, la paz viene cuando alguien hace algo para que así sea. Si nuestro corazón está lleno de Dios, seremos un antídoto preparado contra el veneno del malentendido. Estaremos listos con el apresto de la paz. Y frustraremos por completo a los ángeles de las tinieblas con la potencia de los pacificadores.

El escudo de la fe. Aquí es fácil detectar cuál es la artimaña del diablo. Lo opuesto a la fe es la duda y, en su forma más pronunciada, la incredulidad. Todos dudamos. Dudas sobre uno mismo. Dudas acerca del futuro. Dudas acerca de Dios. Pero cuando las dudas se convierten en incredulidad, la fe que sustenta la vida se evapora. La incredulidad es el vacío de la debilitante incertidumbre. El escéptico se vuelve ateo.

El tiempo en el que nuestra fe se prueba con mayor intensidad, por supuesto, es cuando todas las cosas andan mal. En el pasaje de la armadura de Dios, Efesios 6, Pablo se refiere a esto como «el día malo». Quizás esto es a lo que los místicos llaman «la noche oscura del alma». El salmista termina una de sus canciones tristes: «Y a mis conocidos has puesto en tinieblas» (Salmo 88.18). Y en el Salmo 4, David advierte: «Temblad, y no pequéis; meditad en vuestro corazón estando en vuestra cama, y callad» (Salmo 4.4).

Pablo cita este versículo en Efesios 4.26, pero nos resulta instructivo ir al texto original en hebreo de este Salmo. *La Biblia al día* dice: «Vengan con temor reverente, y no pequen contra Él». En otras palabras, cuando esté bajo el bisturí del cirujano, cuando tenga la mejor razón para moverse, manténgase lo más quieto que le sea posible.

Los problemas nos mueven profundamente. Conmocionan nuestros más profundos sentimientos y muestran nuestras más grandes debilidades. Desafortunadamente, es en esos momentos de problemas que estamos más vulnerables emocional y espiritualmente. Necesitamos permanecer tranquilos, permanecer quietos a cualquier precio. Me gusta la forma en que aparece Efesios 6.13 en *La Biblia al día*: «Vístanse la armadura completa para poder resistir al enemigo cuando ataque; así, al terminar la batalla estarán ustedes todavía en pie». Cuando todo finalice, ¡permanezcamos en pie!

La prueba más grande de nuestra fe es bajo el fuego, «los dardos de fuego del maligno». Cuando los ángeles de las tinieblas incrementan el fuego, todo en nosotros grita: «Se enciende y corre». Pero Pedro nos asegura: «Amados, no os sorprendáis del fuego de prueba que os ha sobrevenido, como si alguna cosa extraña os aconteciese» (1 Pedro 4.12). ¿Por qué? Santiago explica: «Sabiendo que la prueba de vuestra fe produce paciencia.

Mas tenga la paciencia su obra completa, para que seáis perfectos y cabales, sin que os falte cosa alguna» (Santiago 1.3-4),

Me inclino a creer, por lo tanto, que «el escudo de la fe» se refiere más bien a la «fidelidad» a largo plazo y no tanto a las esporádicas explosiones del regalo de la fe con la intención de recibir inmediatas y extraordinarias respuestas a la oración. El escudo de la fe es la fe que permanece, que se abre camino a través de los sentimientos de desaliento y fracaso. Tenacidad. Perseverancia. El escudo de la fidelidad.

El yelmo de la salvación. Nuestra mente es la línea final de defensa en contra de las influencias de los ángeles de las tinieblas. Los ángeles de las tinieblas pueden alcanzar un gran éxito en romper la paz, pero son los más sutiles para influir en nuestros pensamientos. Ahora, descansemos confiados en que la mayoría de los pensamientos son nuestros, sin importar lo que pensemos, somos responsables de esos pensamientos. Pero los ángeles de las tinieblas pueden influir en nuestros pensamientos, aunque quizás no sepan lo que pensemos.

Por lo tanto, necesito proteger mi cabeza con el yelmo de la salvación, porque los pensamientos de mi vida son una batalla campal feroz. Pablo escribió en 2 Corintios:

Pues aunque andamos en la carne, no militamos según la carne; porque las armas de nuestra milicia no son carnales, sino poderosas en Dios para la destrucción de fortalezas, derribando argumentos y toda altivez que se levanta contra el conocimiento de Dios, *y llevando cautivo todo pensamiento a la obediencia a Cristo.*
2 Corintios 10.3-5 (cursivas añadidas)

¿PUEDEN LEER MI MENTE LOS ÁNGELES DE LAS TINIEBLAS?

No. Pero sin duda pueden influir en mis pensamientos. En mi libro *Overcoming the Dominion of Darkness* [Venciendo el dominio de las tinieblas], que tiene una sección más extensa sobre la armadura de Dios, escribí que «mientras más sirvo en el ministerio, y más estudio la guerra espiritual, más me convenzo de que *con frecuencia nuestros pensamientos reciben la influencia de demonios.* No sólo necesitamos el yelmo de la salvación, en el sentido de que nuestras mentes necesitan ser salvas de los viejos patrones de pensamiento, sino también para que guarde nuestras mentes en contra de la invasión de la influencia demoníaca».[15]

Quizás el mejor ejemplo bíblico es el diálogo familiar entre Jesús y Pedro en Mateo 16. Jesús le preguntó a sus discípulos qué decía la gente a sus espaldas:

—¿Quién dice la gente que soy?

—Bueno —le respondieron—, algunos dicen que eres Juan el Bautista; otros, que eres Elías; y otros, que eres Jeremías o alguno de los profetas.

—¿Y quién creen ustedes que soy?

—¡Tú eres el Cristo, el Mesías, el Hijo del Dios viviente! —respondió Simón Pedro.

[Escuchen con cuidado lo que Jesús respondió:]

—Dios te ha bendecido, Simón, hijo de Jonás —le dijo Jesús—, *porque esto no lo aprendiste de labios humanos. ¡Mi Padre celestial te lo reveló personalmente!*

(Mateo 16.17, *La Biblia al día*, cursivas añadidas).

¿De dónde vino el pensamiento de Pedro? La voz del Padre habló y Pedro «escuchó», pero este no lo sabía. Pedro no tenía idea de que su pensamiento había recibido la influencia del mundo de los espíritus.

Unos cuantos versículos más adelante, Jesús comienza a comunicarles a sus discípulos acerca de su inminente muerte. En un rápido cambio de espíritus, Pedro tuvo otro pensamiento que saltó a su mente:

—¡Dios guarde, Señor! —le dijo—. ¡A ti no te puede pasar nada!

Escuche otra vez cómo le responde Jesús. Se vuelve hacia Pedro, y nos da la impresión de que lo hace rápidamente, y le reprende:

---

15 Kinnaman, p. 127.

—¡Apártate de mí, Satanás! —dijo Jesús dando media vuelta—. ¡Me eres un estorbo!

¿Quién está hablando? ¿Pedro? ¿O el diablo? ¿O los dos?

Sea lo que sea, parece bastante claro que el nuevo pensamiento de Pedro se hubiera originado también fuera de él, de que de algún modo el diablo mismo se inmiscuía en su mente.

Como vimos al principio del capítulo, la respuesta de Pedro al engaño de Ananías es otro ejemplo de esta dinámica de mente y espíritu. El mismo Pedro, años más tarde en un momento de mayor madurez y discernimiento, reprende a Ananías (Hechos 5.3, *La Biblia al día*):

—Ananías —lo reprendió Pedro—, ¿por qué has permitido que Satanás te llene el corazón? ¿Por qué dices que este es el importe total de la venta? Le estás mintiendo al Espíritu Santo.

La mayoría de nuestros pensamientos son autoiniciados. En otras palabras, creo que la mayoría de mis pensamientos proceden de mí. Pero algunas veces se originan fuera de mi mente cuando, como Pedro, Dios habla en nuestra mente y corazón. En otras, hay una maligna mezcla, una inconsciente complicidad con los ángeles de las tinieblas.

Santiago escribió acerca de los pensamientos del cielo y de los del infierno:

¿Quién es sabio y entendido entre vosotros? Muestre por la buena conducta sus obras en sabia mansedumbre. Pero si tenéis celos amargos y contención en vuestro corazón, no os jactéis, ni mintáis contra la verdad; porque esta *sabiduría* [pensamientos, ideas] *no es la que desciende de lo alto, sino terrenal, animal, diabólica.*
Santiago 3.13-15 (cursivas añadidas)

Aquellos que niegan esta influencia no tienen ni idea de lo que realmente está sucediendo en el mundo de los espíritus, y en ello estriba su poder y control. Pablo creía que «el dios de este siglo *cegó el entendimiento de los incrédulos,* para que no les resplandezca la luz del evangelio de la gloria de Cristo» (2 Corintios 4.4, cursivas añadidas). Y en otra parte, escribe: «Pero temo que como la serpiente con su astucia engañó Eva, vuestros sentidos sean de alguna manera extraviados de la sincera fidelidad a Cristo» (2 Corintios 11.3, cursivas añadidas).

¿Cómo podemos guardar los pensamientos? ¿Cómo nos ponemos el yelmo de la salvación? Tengo varias sugerencias:

Primera, como Pablo escribe en 2 Corintios 10, *necesitamos lograr que cada uno de nuestros pensamientos esté cautivo a la obediencia a Cristo*, poner todo lo que pensamos bajo su Señorío. Por eso no podemos vivir sólo de pan: «Sino de toda palabra que sale de la boca de Dios» (Mateo 4.4).

Como David observa: «Bienaventurado el varón que[...] en su ley medita de día y de noche» (véase Salmo 1). La Palabra de Dios mantiene a nuestro pensamiento moviéndose en la dirección correcta, y nos protege de la clase de pensamientos dañinos tanto para nosotros como para los demás.

Segunda, siempre que sea posible, *necesitamos pensar en cosas buenas*: «Todo lo que es verdadero, todo lo honesto, todo lo justo, todo lo puro, todo lo amable, todo lo que es de buen nombre; si hay virtud alguna, si algo digno de alabanza, *en esto pensad*» (Filipenses 4.8, cursivas añadidas). «Sobre toda cosa guardada», escribió Salomón en el Antiguo Testamento, «guarda tu corazón; porque de él mana la vida» (Proverbios 4.23).

Tercera, *tengamos cuidado de lo que captan los ojos y los oídos*. Guardemos la mente. «Despojémonos de todo peso y del pecado que nos asedia[...] Puestos los ojos en Jesús» (Hebreos 12.1-2).

Cuarta, *no confiemos en todos nuestros pensamientos*. Jeremías escribió: «Engañoso es el corazón más que todas las cosas, y perverso; ¿quién lo conocerá?» (Jeremías 17.9). Si sólo nos escuchamos a nosotros y se nos dificulta escuchar a los demás, nos preparamos para una desilusión espiritual. Una mente abierta al consejo y dirección de otros es una puerta cerrada a la seducción mental de los ángeles de las tinieblas.

COMENTARIOS FINALES SOBRE LOS ÁNGELES

En resumen, tenemos que los ángeles de las tinieblas y la luz están a nuestro alrededor, influyendo en las circunstancias y las relaciones, y hasta en los pensamientos. Debemos estar conscientes y alertas. «El ángel de Jehová acampa alrededor de los que le temen». Damos la acogida a la protección y al ministerio de los ángeles buenos cuando tememos a Dios y guardamos sus mandamientos. Invitamos la instrucción de los ángeles de las tinieblas cuando no lo hacemos. La armadura de Dios es clave para comprender nuestras áreas de vulnerabilidad personal, cómo las explota y manipula el adversario, y cómo el Espíritu nos fortalece para resistirlo.

Ya sea que lo creamos o no, los ángeles de las tinieblas y la luz están a nuestro alrededor. Y lo que hacemos, para bien o para mal, estimulamos su participación en nuestra vida.

Sed prudentes y manteneos despiertos, porque vuestro enemigo el diablo, como un león rugiente, anda buscando a quien devorar. Resistidle, firmes en la fe, sabiendo que en todas partes del mundo vuestros hermanos soportan los mismos sufrimientos. Pero después de haber sufrido por un poco de tiempo, Dios os hará perfectos, firmes, fuertes y seguros. Él es el mismo Dios que en su gran amor nos ha llamado a tener parte en su gloria eterna en unión con Jesucristo. A Él sea el poder para siempre. Así sea.

1 Pedro 5.8-11, *Dios habla hoy*

Apéndice 1

Resultados de la encuesta

Conjuntamente con un proyecto de Doctorado en Ministerio para 1993 del seminario Western, Phoenix, realicé una «encuesta sobre ángeles» a varios cientos de personas en tres contextos: (1) la clase bíblica de adultos en una congregación carismática independiente, Word of Grace [Palabra de Dios], en la que sirvo como pastor; (2) dos ministerios católicos tradicionales, incluyendo un coro grande de una parroquia local y una asociación de mujeres; y (3) la clase de adultos de una iglesia bíblica grande, no carismática. A fin de asegurarme un nivel mínimo de muestreo, mi encuesta en cada uno de estos contextos se limitó a quienes se encontraban en la clase o en el grupo el día en que realicé la encuesta. Esta en sí no se probó formalmente en cuanto a confiabilidad y validez.

ENCUESTA

1. Hombre _____ Mujer _____

2. Edad _____

3. Ocupación _____

4. Años de educación después de la escuela secundaria

5. ¿Cree en la existencia de los ángeles?
   Sí _____ No _____

6. ¿Conoce personalmente a alguien, aparte de usted, que haya tenido un encuentro con un ángel o ángeles (uno de cualquier tipo: visual o no, un ángel real, en otra forma o en un sueño)?
   Sí _____ No _____
   Si respondió sí, ¿le sería posible darme sus direcciones y/o números de teléfonos, de manera que me pueda poner en contacto con esas personas?

7. a. ¿Ha tenido **personalmente** alguna vez un encuentro con un ángel o ángeles (uno de cualquier tipo: visual o no, uno real, en otra forma o en un sueño)?
   Sí _____ No _____
   b. ¿Ha tenido más de un encuentro con uno o más ángeles?
   Sí _____ No _____

Si su respuesta a la pregunta #7 es «no», ha terminado esta encuesta. Si su respuesta es «sí», por favor, conteste las preguntas de la Sección 2.

SECCIÓN 2: PARTE UNO

Si cree que ha tenido un encuentro angélico, por favor responda las siguientes preguntas. Sea breve. Escriba con letra de molde. Use papel extra si lo necesita. **Si ha tenido más de una experiencia**, use papel adicional para responder cada pregunta por separado acerca de cada experiencia. O simplemente puede describir la experiencia más significativa.

1. ¿Cómo clasificaría su experiencia? Marque una sola:
   Usted vio a un ángel:

   ____ Sin duda. Está seguro de su experiencia.

   ____ Con cierta duda. En realidad, tuvo una experiencia, pero era borrosa y no está del todo seguro de lo sucedido.

   ____ Con bastante duda, aunque muy para sus adentros sabe que algo fuera de lo común o sobrenatural ocurrió.

2. ¿Cuántos años tenía cuando sucedió?

3. ¿Hubo algún ángel o ángeles visibles? Si los hubo, ¿en qué forma?

4. ¿Cuántos ángeles vio (si hubo más de uno)?

5. ¿Cuál era la apariencia del ángel? Tamaño, forma, color.

6. ¿Había otras personas presentes cuando ocurrió el encuentro?
   Sí _____ No _____

Si fue así, ¿tuvieron la misma experiencia?
Sí _____ No _____
¿Podrían confirmar lo que usted vio?
Sí _____ No _____

7. ¿Habló el ángel con usted? Si fue así, ¿recuerda alguna parte de la conversación?

SECCIÓN 2: PARTE DOS

1. ¿Clasificaría la experiencia como positiva o negativa, y por qué?

2. ¿Cuáles fueron las circunstancias del encuentro? ¿Se encontraba pasando por alguna crisis personal, en peligro, en el umbral de la muerte, en una encrucijada de su vida o la experiencia «surgió de la nada»?

3. ¿Cambió en alguna forma su vida con esta experiencia? ¿Es diferente hoy en día a causa de la experiencia? Si lo es, ¿de qué manera?

4. ¿Hay algo más que quisiera añadir?

Si ha descrito su encuentro con un ángel y estaría interesado en la publicación de su historia, por favor, asegúrese de incluir su nombre, dirección y número de teléfono con su respuesta a esta encuesta. **Opcional**.

RESULTADOS DE LA ENCUESTA

Observaciones generales. Los resultados que siguen a continuación representan mi mejor intento de evaluar, sintetizar y categorizar una enorme cantidad de información diversa. La encuesta se creó para recolectar información específica, si bien se les dio a los encuestados tanta libertad como fue posible para describir sus experiencias con ángeles. Por consiguiente, algunos dieron información ambigua o incompleta, o explicaron más de un encuentro. Esto aclara por qué hay discrepancias en algunos de los totales de las columnas.

También debo señalar que algunas de las respuestas parecían más creíbles que otras, si bien el número de historias improbables fue relativamente pequeño. No obstante, para efectos de este estudio, no hice juicios acerca de cuáles historias parecían posibles y cuáles no. Les di a todos los encuestados el beneficio de la duda al tomar sus respuestas por válidas e incluir sus respuestas en mis resultados finales.

Un factor que en mi opinión aumentó la credibilidad de las respuestas es el que, con pocas excepciones, los que informaron encuentros con ángeles tuvo únicamente uno o dos en toda su vida. En casi todos los casos, el encuestado fue capaz de decir la edad específica que tenía cuando el suceso ocurrió. Muy pocos (sólo once de sesenta y dos de los que dijeron haber visto un ángel o ángeles) informaron múltiples encuentros con ángeles, y de estos, ocho de once reportaron sólo dos. Además, casi todos los demás encuestados fueron capaces de dar su edad específica en el tiempo en el que tuvo lugar el encuentro. *Sólo una pequeña porción de la población ha tenido experiencias con ángeles y, de esos, casi todos son casos en los que el encuentro ha ocurrido una sola vez en la vida.*

También es importante hacer notar que los encuestados representan un amplio rango de edades, desde los que estaban al inicio de sus veintes hasta los que se encontraban en sus setentas; casados, solteros, divorciados; mujeres y hombres; de pobre educación y bien educados; estudiantes, gente dedicada al hogar, obreros y profesionales. Sin embargo, los encuestados no representan una muestra de la población general, ni siquiera de la población cristiana en general. Todas las encuestas se circularon en las clases de Biblia de adultos, un coro y un club de servicio cristiano. Podemos asumir que los subgrupos de la iglesia, como estos, representan un nivel por lo general alto de la vida y compromiso cristianos.

Finalmente, en encuestas de esta naturaleza, los resultados pueden catalogarse y compararse en un sinnúmero de combinaciones. He decidido presentar los resultados de la siguiente manera: (1) un resumen total de la información provista por todos los encuestados; (2) una comparación de acuerdo a los contextos religiosos.

ENCUENTROS ANGÉLICOS

	Número de encuestados	Creen en ángeles	Han visto ángeles	Conoce a alguien que ha visto ángeles
Católico-rromanos	76	91%	7% (sin dudas: 3%)	7%
Iglesia bíblica (no carismática)	49	100%	33% (sin dudas: 24%)	45%
Iglesia carismática	146	100%	28% (sin dudas: 23%)	47%
Todos los encuestados	271	97%	23% (sin dudas: 17%)	35%

CIRCUNSTANCIAS DE ENCUENTROS ANGÉLICOS

	¿Era visible el ángel?	Propósito de la visita angélica
Católicorromanos (5 de 76 encuestados vieron ángeles)	Forma humana: 1 Forma celestial: 1 En un sueño: 1 No está seguro: 2	Dirección: 0 Protección: 0 Consuelo/ayuda: 2 Lecho de muerte: 2 No está seguro: 1
Iglesia bíblica (no carismática) (16 de 49 encuestados vieron ángeles)	Forma humana: 6 Forma celestial: 3 En un sueño: 1 No está seguro: 6	Dirección: 1 Protección: 6 Consuelo/ayuda: 3 Lecho de muerte: 1 No está seguro: 5
Iglesia carismática (41 de 146 encuestados vieron ángeles)	Forma humana: 8 Forma celestial: 17 En un sueño: 2 No está seguro: 14	Dirección: 2 Protección: 6 Consuelo/ayuda: 11 Lecho de muerte: 3 No está seguro: 19
Todos los encuestados (62 de 271 vieron ángeles)	Forma humana: 24% Forma celestial: 34% En un sueño: 6% No está seguro: 36%	Dirección: 5% Protección: 21% Consuelo/ayuda: 26% Lecho de muerte: 10% No está seguro: 38%

EXTRACTOS DE LAS ENCUESTAS

El ángel apareció como una «luz brillante y blanca». Mi experiencia fue «positiva. Vivía con la constante amenaza de una cirugía». Estaba «al borde de la muerte».

Contador

«Mi esposo estaba al borde de la muerte, con una insuficiencia cardíaca congestiva. Oraba profundamente por mi esposo cuando el ángel entró y se sentó en el lugar en el que mi esposo casi siempre se sentaba. Tenía pelo blanco y grueso. Y vestía un traje negro, con camisa blanca y corbata negra. Su saco tenía polvo blanco en todas partes». El ángel se comunicó conmigo «a través de los ojos y telepatía mental. Me dijo que no me preocupara, que mi esposo se pondría bien y viviría. Han pasado catorce años y mi esposo todavía vive».

Secretaria médica retirada

«Sí, los he visto. Hablan conmigo. Uno de ellos siempre está en silencio, pero es de mucho consuelo. Lo he visto en varios sueños, siempre que me encuentro en problemas». La primera vez que vi al otro ángel «me estaba muriendo y me dijo que no temiera. Vestía una toga blanca cubierta de nubes. El doctor me dijo que yo moriría después de la muerte de mis gemelos. Mi caso fue documentado en la revistas médicas. Estaba esperando morir cuando me encontré con el ángel en el cuarto del hospital». ¿Cambió en algo mi vida a causa de la experiencia? «No cabe duda. Siempre he tenido una gran fe, pero estas experiencias causaron un impacto profundo en mi vida. De acuerdo a un equipo quirúrgico de medicina vascular de Dallas, no debiera estar viva hoy. Pero los milagros suceden».

Vendedora asociada de cosméticos

¿Cómo era la apariencia del ángel? «Sólo vi lo que parecía el reflejo de una cara en el espejo retrovisor. Tenía unas expresiones faciales brillantes y especiales». El encuentro fue «positivo. La experiencia me dio conciencia de cuán reales son los ángeles y cómo es que pueden intervenir y ayudarnos».

Técnico de ingeniería

«Estaba durmiendo en mi casa. La alarma de fuego sonó a las cuatro de la mañana. Me levanté para revisar la casa, pero olvidé encender las luces. Después de buscar algún olor a humo y no percibir nada, pensé que quizás se trataba de la casa de algún vecino. Cuando cerraba la puerta de entrada, sentí alguien o algo parado detrás de mí. Me volví rápidamente y detrás de mí estaba este ángel enorme: como de ocho o nueve pies de alto y con un cuerpo grande. Como un hombre enorme. Como vapor blanco. Se esfumó delante de mí. De inmediato supe que se trataba de mi ángel guardián, y tuve la sensación de que me encontraba seguro en mi casa».

Maestro de escuela

«Tenía cerca de un año de haberme convertido al cristianismo. Y vivía en victoria en muchas áreas de mi vida, excepto en un pecado que me acosaba. Estaba a punto de volver a caer en esa actividad de nuevo cuando sentí que me levantaban suavemente por cada brazo y me llevaban lejos de esa área hasta mi automóvil. No vi a nadie, pero sentí dos manos fuertes en cada brazo».

Técnico electricista

El ángel apareció como «una brillante luz de radiantes colores, con el sonido de un agitado viento». El ángel me habló: «Sólo cree, hija mía, sólo cree».

Costurera

«Una vez, cuando mi hija tenía dos años de edad, se cayó de una silla. Pude sentir como brazos y manos que la rodeaban, y en lugar de caerse, flotó».

Consultora de cosméticos

Los ángeles eran «bastante grandes, con forma humana, pero con alas. Su color no era blanco, más bien me dio la impresión de un beige rosado. El pelo les llegaba hasta los hombros y rizado en las puntas. El más cercano empuñaba una espada grande en su mano».

Ama de casa

«Tenía diez años. El ángel se paró en la puerta de mi cuarto con los brazos extendidos y me dijo que no tenía nada de que atemorizarme porque Dios estaba conmigo. Había estado pasando por algunas experiencias personales difíciles en el hogar. Mis padres peleaban de continuo y yo me sentía maltratada físicamente por mi padre y emocionalmente por mi madre. La experiencia cambió mi vida, pero no fue sino hasta que tenía veintisiete años. En ese tiempo le entregué mi vida al Señor. Cuando el ángel apareció, tenía diez años y no estaba seguro de lo que era esa imagen, pero ahora, mirando hacia atrás, me doy cuenta de que se trataba de un ángel que Dios me envió para que supiera que nunca me dejaría y siempre está a mi lado».

Agente de seguridad

Los ángeles eran «brillantemente blancos pero transparentes. Aunque me asusté, la experiencia fue positiva porque no podría negar lo que vi y, si los espíritus son reales, Dios que es Espíritu también fue real. La experiencia con el ángel hizo que buscara a Dios seria e incesantemente. La experiencia me hizo imposible negar ni pasar por alto a Dios, por más que lo intentara. Y de verdad que lo intenté».

Ama de casa

«Los ángeles no se me presentaron de manera visible, pero sí a mi padre, *quien no creía en lo sobrenatural*. Vio varios ángeles durante varios minutos la noche antes de morir».

Propietario de un pequeño comercio

Apéndice 2

Glosario de términos griegos y hebreos para ángel

ANTIGUO TESTAMENTO/HEBREO

1. *malak*: mensajero, representante, emisario, ángel. El término no se usa con más frecuencia para designar a seres angélicos.

    l'k, raíz que adoptan las siguientes palabras:
    malak, mensajero, representante
    melaka, trabajo o negocio
    malakut, mensaje (sólo en Hageo 1.13)
    «Mensajero» es un término inadecuado para el tipo de tareas que lleva a cabo el *malak* del AT. Estas eran: (1) llevar un mensaje, (2) llevar a cabo alguna otra comisión específica, y (3) representar más o menos oficialmente a la persona que le enviaba. Había *melakim* tanto humanos como sobrenaturales, en estos se incluye el Ángel de Jehová.[1]

2. *keruv* o *keruvim* (castellanizado, plural)
    Estos son los primeros ángeles que aparecen en la Biblia (Génesis 3) como guardianes de Edén. Se mencionan también como «portadores del trono» de Jehová. A menudo, la frase *Yahweh yosebh hakkeruvim*, Jehová sentado sobre querubines, es una referencia directa al arca del pacto, aparece en 1 Samuel 4.4; 2 Samuel 6.2; Isaías 37.16; Salmos 80.1; 99.1.

3. *seraph* o *seraphim* (castellanizado, plural)
    Se piensa que este término viene de la raíz de una palabra que significa «fuego» o «ardiendo». No es una derivación

1   R. Laird Harris, ed., *Theological Word Book of the Old Testament* [Libro de palabras teológicas del Antiguo Testamento], 2 vols., Moody, Chicago, 1980, vol. 1, pp. 464-65.

comúnmente aceptada, sin embargo, todavía tiene que probarse. Gesenius tiene la duda universal respecto al origen de esta palabra, pero consideraba que era mejor relacionarla con el árabe *sarupha*, ser noble, en la que serafines son los príncipes de la corte celestial.[2] «Usada solo en Isaías 6.2, estas criaturas angélicas son con seguridad comparadas con los querubines de la decoración del templo y con la visión que más tarde tendría Ezequiel. Es más, las "criaturas vivientes", de Apocalipsis 4, combinan elementos de Isaías 6 y Ezequiel 1[...] Estos seres angélicos eran brillantes como llamas de fuego».[3]

4. *'abbir*, se encuentra una sola vez en la Biblia: Salmo 78.25.

5. *'elohim*, Dios, falsos dioses, seres como dioses. La Septuaginta traduce este término como *angeloi* en los Salmos 8.5; 97.7; 138.1, pero esta quizás no sea la mejor traducción en todos los casos.

6. *b'nay ha'elohim*, «los hijos de Dios», mayormente notable en el disputado pasaje de Génesis 6.1ss, donde el uso de la frase no es claro. Job 1.6, sin embargo, parece ser una referencia bastante clara a los ángeles.

7. *Gabri'el*, significa «hombre de Dios» y aparece sólo en Daniel 8.16 y 9.12.

8. *Mikha'el*, aparece diez veces en el Antiguo Testamento. En realidad significa «el que es como Dios», sugiriendo así su alta posición en la jerarquía angélica y la identificación de su poder con el de Dios mismo.

9. *mesites*, «mediador». Véase Job 33.23.

---

2 Heidt, p. 15.
3 Harris, vol. 2, p. 884.

10. *mesareth*, «ministros», en Salmo 103.21.

11. *'ir*, «vigilante». Véase Job 4.18.

12. *sabha'*, «ejército». Quizás «ángeles» es el significado de este término en tres pasajes: 1 Reyes 22.19; Nehemías 9.6; Salmo 148.2.

13. *sir*, «emisario». Véase Isaías 63.9.

14. *qadosh*, «santo, sagrado, aquel que es apartado». Véase Salmo 89.6, 7.

15. *qedoshim*, un término ambiguo que significa «Santos», del hebreo *qedosh*, santo. Tal vez esta palabra se usa para ángeles, o a lo mejor para «los santos», el pueblo santo de Dios. Véase Salmo 89.5; Daniel 4.13; Zacarías 4.14.

NUEVO TESTAMENTO/GRIEGO

1. *angelos*, mensajero, ángel, se encuentra ciento setenta y cinco veces en el NT, usados por hombres sólo seis veces. Arndt y Gingrich sugieren tres usos: (1) ángeles como mensajeros; (2) seres intermediarios generalmente sin referencia a su relación con Dios; (3) malos espíritus.[4]

2. *archangelos*, arcángel o ángel gobernante.
   «Se encuentra en el NT sólo en 1 Tesalonicenses 4.16 y Judas 9. El concepto, sin embargo, puede encontrarse también en Apocalipsis 8.2,7,10,12; 9.1,13; 11.15. Los únicos nombres que se dan son los de Gabriel (Lucas 1.19) y Miguel (Judas 9; Apocalipsis 12.7)».[5]

---

4 William F. Arndt y Wilbur F. Gingrich, *A Greek-English Lexicon of the New Testament and Other Early Christian Literature* [Un Léxico Griego-Inglés del Nuevo Testamento y Otra Literatura Cristiana Antigua], Imprenta de la Universidad de Chicago, Chicago, 1957, pp. 7-8.

5 Brown, vol. 1, p. 103.

3. *isangelos*, como un ángel.

«Esta rara palabra aparece en el NT únicamente en Lucas 20.36. En la resurrección, seremos "como los ángeles", ni moriremos ni nos casaremos».[6]

4. *daimon*, ángel caído.

Kittel establece que la etimología y el significado original del término es incierto,[7] sin embargo Brown indica que *daimon* «se deriva de *daiomai*, dividir, asignar proporcionalmente. Puede relacionarse con la idea del dios de la muerte como quien separa a los cuerpos».[8]

Según la creencia popular griega, «los *daimones* son: (a) espíritus de los que han partido, (b) sombras que aparecen especialmente en lugares solitarios por la noche. Causan toda clase de infortunios, son responsable de enfermedades y locura, portan nombre especiales y pueden ser alejados o conjurados a través de la magia».[9]

En el judaísmo «encontramos la idea de ángeles caídos y a los ángeles de Satanás se les llama demonios. También podemos leer de espíritus malos o impuros. Sólo rara vez hay aquí demonios caprichosos y dañinos. Su labor principal es tentar hacia la brujería, idolatría, guerra, derramamiento de sangre e inquirir en los misterios. Los paganos les oran cuando los seducen a la idolatría. Se oponen a Dios y le deben su posición a una caída que implica pecado y culpa[...] En general, el lazo con las almas de los muertos está roto [en otras palabras, en el judaísmo de este tiempo, los demonios no eran espíritus incorpóreos de las personas injustas que habían muerto]».[10]

«La demonología se adopta [en el judaísmo] porque en nosotros

---

6 Gerhard Kittel y Gerhard Friedrich, eds., *Theological Dictionary of the New Testament* [Diccionario Teológico del Nuevo Testamento], abreviado en un volumen por Geoffrey Bromily. Eerdmans/Patemoster, Grand Rapids, MI, 1985, p. 14.
7 Kittel y Friedrich, p. 137.
8 Brown, vol. 1, p. 450.
9 Kittel y Friedrich, p. 138.
10 Kittel y Friedrich, p. 139.

se encuentra una voluntad que resiste la observancia de la ley; esta mala voluntad se le adjudica a la influencia demoníaca y, por lo tanto, se sugiere una relación con Satanás».[11] De acuerdo a Brown, la meta principal de los demonios era inducir a la gente a pecar.[12]

Brown afirma que en el Nuevo Testamento «no existe la creencia en los espíritus de los muertos ni en los fantasmas[...] El miedo a los demonios desaparece gracias a la fe en el triunfo de Jesucristo».[13]

Kittel y Friedrich, p. 139, cursivas añadidas.
Brown, vol. 1, p. 451.
Brown, vol. 1, p. 452.

Apéndice 3

Índice temático de referencias bíblicas sobre ángeles

Ángel/ángeles:

del **abismo, Satanás:** Ap 9.11

de **Jehová:** Gn 16.7,11; 18.1-33; 21.17; 22.11-15; 31.11; 32.22-32; 48.15,16; Éx 3.2; 4.24; 13.21; 14.19; 23.20; 32.34; 33.2; Nm 20.16; 22.22; Jos 5.15; Jue 2.1; 52.3; 6.11; 13.21; 2 S 24.16-17; 2 R 1.3; Is 63.9; Os 12.4; Zac 3.1-6; 12.8; Mal 3.1; Ap 8.3.

como **Jesús:** Zac 3.1-6

como **respuesta a la oración:** Nm 20.16

aparición de: Gn 19.2-5; 32.22-32; Jue 13.3-21; 1 Cr 21.16; Dn 9.21; Heb 1.7; Mt 28.2; Lc 24.34; Jn 20.12; Ap 10.1-7; 15.6; 18.1

arcángeles: 1 Ts 4.16; Jud 1.9

bendición relacionada a la obediencia:, Jue 2.1-4

de las **copas de juicio:** Ap 15.6-8; 16.2-17

pan de (maná): Sal 78.25

celebran la salvación: Lc 15.10

querubín

    aparición de: Éx 37.9; Ez 1.13,22; 3.13; 10.1-20; 41.18-25; Ap 4.8; 5.8

    y el **arca del pacto:** Éx 25.18-22; 37.7,9; Nm 7.89; 1 S 4.4; 2 S 6.2; 2 R 19.15; 1 Cr 13.6; 28.18; 2 Cr 3.7-14; 5.7-8: Sal 18.10; 80.1; 99.1; Is 37.16; Heb 9.5

    y la **gloria de Dios, la shekinah** 2 S 22.11; Ez 10.1-20; 11.22; Ap 4.8; 5.6; 14.3

    como **guardianes:** Gn 3.24

    como **heraldos:** Ap 6.1,6

    como **intermediarios:** Ap 5.8

    y **juicio:** Ap 15.7

    como **criaturas vivientes:** Ez 1.13-22; 10.15,20

    y **muerte:** Lc 16.22

    como **ornamentos del tabernáculo:** Éx 26.1,31; 36.8,35

    como **ornamentos del templo:** 1 R 6.23-35; 7.29,36; 8.6,7

    como **posibles OVNIS:** Ez 1.13-22; 3.13; 10.1-20; 11.22

    y **adoración:** Ap 4.8,9; 5.11,14; 19.4

y niños: Mt 18.10

seres creados, no divinos: Heb 1.5

liberación por medio de: Nm 20.16; Is 63.9; Dn 3.28; Hch 5.19; 12.7-15

y sueños: Gn 28.12; 31.10-11; Dn 4.13; Mt 1.20,24; 2.13,19

muestran emociones: Lc 15.10

encuentros deben ser juzgados: Gl 1.8

como **servidores de Dios alrededor del trono:** 1 R 22.19; Neh 9.6; Sal 89.6-8; Ap 3.5; 5.11; 14.10 (véase también **gloria de Dios**)

malos, caídos: Mt 25.41; 2 P 2.4; 2 Co 12.7

Gabriel: Dn 8.16; 9.21; Lc 1.19,26

asexuados: Mt 22.30; Mc 12.25

como **signos de la gloria de Dios, la shekinah:** Gn 28.12; Jn 1.51 (véase también **querubín, arca del pacto,** y **servidores de Dios** alrededor del trono)

signos del favor de Dios: Gn 32.1

guardián, protección: Gn 48.15-16; Éx 14.19; 23.20-30; 32.34; Sal 34.7; Sal 91.11; Dn 6.22; 12.1; Zac 12.8; Mt 2.13; 4.6; 18.10; 26.53; Lc 4.10; Hch 12.15; Heb 1.13-14; 12.22

como **guardianes nacionales:** Dn 12.1

guía de: Gn 16.9; 21.17; 31.10-11; Éx 3.1-4.17; Nm 22.35; Jue 6.11-22; 1 R 19.5, 7; 2 R 1.3; Mt 1.20, 24; 2.13, 19; Hch 8.26; 10.3, 4, 7, 22; 11.13

como **heraldos:** Ap 5.2

como **santos:** Dt 32.2, 3; Job 5.1; 15.15; Sal 89.5, 7; Is 13.3; Dn 4.17; Zac 14.5; 1 T 3.13; Jud 14

inmortal: Lc 20.36

como **intermediarios:** Ap 8.3

y Jesús, Mt 26.53; Mc 1.13; Lc 22.43; Jn 1.51

Jesús más grande que: Heb 1.1-14; 2.5-9; 1 P 3.22

juzgados por los santos: 1 Co 6.3

de **juicio, destrucción:** Éx 23.20-30; 32.2; Nm 22.22-35; Jue 5.23; 2 S 24.16-17; 2 R 19.35; 1 Cr 21.12-30; Sal 35.5-6; 78.49; Is 13.3; 37.36; Hch 12.23; 1 Co 10.10; Ap 7.1-3; 8.5-10.9; 14.15,19; 15.6; 16.2-17; 17.1; 18.21; 20.1; 22.1,6

lenguaje: 1 Co 13.1

y la Ley, Diez Mandamientos, Sinaí: Dt 33.2 (implícito); Hch 7.38, 53; Gl 3.19; Heb 2.2

intervienen para salvar vidas: Gn 21.17; 32.22-32; 1 R 19.5,7; Job 33.23; Os 12.4

criaturas vivientes, serafines: Ap 5.11; 7.11; 15.7 (véase también **querubín**)

como **mensajeros:** Gn 16.9; 19.1, 15; 21.17; 22.11-15; Éx 3.1-4.17; Nm 22.35; Jue 2.1-4; 6.11-22; Job 4.18; 1 R 19.5, 7; 2 R 1.3; Dn 8.16; Mt 1.20, 24; 2.13, 19; 28.5; Lc 1.19, 26; 2.9-13; Hch 7.30, 35, 38; 10.3, 4, 7, 22; 2 Co 12.7; Ap 14.6, 8, 9; 19.9, 17; 21.15, 17; 22.16

mensajeros a las iglesias locales: Ap 1.20; 2.1,8,12,18; 3.1,7,14

Miguel: Dn 10.13, 21; 12.1; Jud 7-9; Ap 12.7

espíritus ministradores: 2 R 1.15; Dn 10.18-19; Mt 4.11; Mc 1.13; Heb 1.14

misceláneos, otros: 1 S 29.9; 2 S 14.17; 19.27; 1 R 13.18; Lc 2.21; Jn 12.29; Hch 6.15; 23.9; Gl 4.14

y fenómenos naturales: Mt 28.2; Jn 12.29; Heb 1.7; Ap 7.1-2

número de: Dt 33.2; Mt 26.53; Heb 12.22; Jud 14; Ap 5.11

no omnipotentes: Ro 8.38

no omniscientes: Mt 24.36; Mc 13.32; 1 P 1.12

poderosos, más poderosos que los seres humanos: 2 P 2.11

poder para influir en las circunstancias,: Gn 24.7,40

como **mensajeros proféticos:** Gn 16.10; 22.15 y siguientes; Éx 3.1-4.17; Nm 22.35; Jue 6.11-22; 13.3-21; 2 R 1.3; Dn 4.23; Zac 1.7-21; 2.1-5; 4.1-14; 5.1-11; 6.1-8; Lc 1.5-25,26-38; 24.23; Ap 1.1; 2.1,8,12,18; 3.1,7,14; 10.8-9; 11.15; 17.1,3,7,15; 18.1

provisión, sobrenatural: Gn 21.8-21; 1 R 19.6

pureza de: Job 15.15

rango de respeto y orden: 2 P 2.11; Jud 8-9

y la resurrección de Cristo: Mt 28.2; Lc 24.33; Jn 20.12

salvación, no son objeto de: Heb 2.16; 1 P 1.12

Satanás disfrazado de: 2 Co 11.14

y la Segunda Venida, día final: Zac 14.5; Mt 13.39, 41, 49; 16.27; 24.31; 25.31; Mc 8.38; 13.27; Lc 9.26; 12.8,9; Jn 1.51; 1 Ts 3.13; 2 Ts 1.7; Jud 14

serafines, criaturas vivientes: Is 6.2, 6; Ap 5.11; 7.11; 15.7

como **siervos de Jehová:** Sal 103.20-21

como **hijos de Dios:** Gn 6.1 y siguientes; Job 1.6; 2.1

especulación acerca de: el peligro de Col 2.18

y batalla espiritual: Ap 12.7,9

y estrellas: Job 38.7; Sal 103.20-21; 148.2-3; Ap 1.20

territorial: Dn 10.13,20-21; 12.1; Ap 7.1-2; 9.14

de las trompetas del juicio: Ap 8.2-10.7; 11.15

veinticuatro ancianos: Ap 4.4,10; 5.8; 11.16; 19.4

inesperados: Gn 24.7,40; Heb 13.2

quienes traen **victoria** al pueblo de Dios: Éx 23.20-30

testigos, espectadores, observadores: Lc 16.22; 1 Co 4.9; 11.10; 1 Ti 3.16; 5.21; Ap 3.5; 14.10

y mujeres: 1 Co 11.10

como **adoradores de Dios:** Dt 33.3; Sal 89.5; 103.20; 148.2; Lc 2.13: Heb 1.6: Ap 5.11ss

no deben ser **adorados:** Ap 22.8-9

Lectura recomendada

Graham, Billy. *Los ángeles: Agentes secretos de Dios*, Editorial Caribe, Miami, FL, 1976.

Kinnaman, Gary D. *Venciendo el dominio de las tinieblas*, CLIE, Ft. Lauderdale, FL.

Lewis, C.S. *The Screwtape Letters* [publicado en castellano bajo el título *Cartas a un diablo novato*], MacMillan, New York, 1962.

Penn-Lewis, Jesse. *Guerra contra los santos*, CLIE, Ft. Lauderdale, FL.

Schlink, Basilea. *El mundo invisible de ángeles y demonios*, CLIE, Ft. Lauderdale, FL.